canadese

lue priande
poesiche
live a L.A.

treueuce

Longo poesia

Alla memoria di Vincent Peter Paul,
il cui anelito per la bellezza e le sue espressioni nella cultura italiana
ha arricchito molti lettori anglofoni,
ispirando quanti lo conoscevano e esprimendo la sua convizione
che la vita è un dono da celebrare.

To the memory of Vincent Peter Paul,
whose search for beauty
and its expression in Italian culture benefited many Canadians,
inspired those who knew him, and affirmed his conviction that life,
in all its aspects, is a gift to be celebrated.

Leonard Cohen

La solitudine della forza
The Solitude of Strength

A cura di Branko Gorjup e Francesca Valente
Calcografie di Arnaldo Pomodoro
Traduzione di Francesca Valente

Longo Editore Ravenna

This book has been published
with the kind assistance of the Canada Council and
the Department of Foreign Affairs and International Trade
and the Peter Paul Charitable Foundation

The editors and translator would like to thank: Margaret Atwood, Paola Bellu-
sci, Sara Fruner, Aviva Layton, Dacia Maraini, Filippo Mariano, Anne Michaels, Carla Plevano, Giorgio Pressburger, Silvana Quadri, Constance Rooke and
Andrea Zanzotto. Special thanks go to Leonard Cohen for his encouragement
and his unique availability to help and to Arnaldo Pomodoro for generously con-
tributing his art for this edition.

I curatori e il traduttore desiderano ringraziare: Margaret Atwood, Paola Bellu-
sci, Sara Fruner, Aviva Layton, Dacia Maraini, Filippo Mariano, Anne Michaels, Carla Plevano, Giorgio Pressburger, Silvana Quadri, Constance Rooke e
Andrea Zanzotto. Un vivo ringraziamento va a Leonard Cohen per aver pazien-
temente assistito il traduttore, e Arnaldo Pomodoro per le sue calcografie,
appositamente create per questo volume.

The Peter Paul Series of English Canadian Poetry is distributed in Canada
by McArthur & Company, c/o Harper Collins
1995 Markham Road, Toronto, ON M1B 5M8
toll free: 800 387 0117
800 668 5788 (fax)

Permission for this publication was granted by the author.

The poems reprinted in this collection are from *Stranger Music: Selected
Poems and Songs*. McClelland and Stewart, Toronto, 1993 and *Book of
Longing*, McClelland and Stewart, Toronto, 2006.

The editors and translator would like to thank SONY/ATV for the use of the
following lyrics: *Fingerprints*; *Suzanne*; *So Long, Marianne*; *Sisters of Mercy*;
The Stranger Song; *Story of Isaac*; *Joan of Arc*; *Take this Longing*; *Chelsea
Hotel*; *A Singer must Die*; *Death of a Lady's Man*; *The Window*; *True Love
leaves No Traces*; *The Tower of Song*; *The Great Event*.

The following publishers are thanked for their permissions:
Penguin Books, A. Mondadori Editore, Minimum Fax, Jonathan Cape

ISBN 978-88-8063-580-2

Testimonianze
Appreciations

Irving Layton - Dacia Maraini
Anne Michaels - Giorgio Pressburger
Andrea Zanzotto

Leonard is the only man I know who really goes beyond concepts, or ideas. Of him too one could say, as someone said of Yeats, that his mind was never violated by an idea, something like that. He thinks with his whole body and he has recognized somewhere, perhaps in the womb of his mother, that concepts blot out or distort experience and that he wants the living spontaneous, freshness of it. But the point is he lives that way. His whole life is the best argument. He astounds, confounds and finally destroys his opponents by simply being.

Irving Layton

Leonard è l'unico uomo che io conosca che vada realmente al di là dei concetti e delle idee. Anche di lui si potrebbe dire quello che fu detto di Yeats, che la sua mente non è mai stata violata da un'idea, qualcosa del genere. Pensa con tutto il corpo, e ha riconosciuto da qualche parte, forse nel grembo di sua madre, che i concetti offuscano o distorcono l'esperienza, mentre lui ne vuole la viva, spontanea freschezza. Ma il punto è che lui vive così. La sua intera vita è la prova migliore. Stupisce, confonde e infine distrugge i suoi avversari semplicemente essendoci.

Irving Layton

The poems of Leonard Cohen make me think of Altman's films: there is something neurotic and deeply poetic in their persistent gaze on a fragmented North America, ironic and painful, thorny and yet intensely loved. His poems are full of lonely individuals lost in crowds: "On the path of loneliness / I came to the place of song / and tarried there / for half my life." In his poems the reader encounters the desolation of a city with no more flowers but touched by the tenderness of falling snow: "From a third-storey window / above the Parc du Portugal / I've watched the snow / come down all day / As usual / there's no one here." We also encounter distracted love: "Another poet will have to say / how much I love you / I'm too busy now with the Arabian Sea," and also intense love: "Hungry as an archway / through which the troops have passed / I stand in ruins behind you / with your winter clothes / your broken sandal strap / But I love to see you naked there."

The image of The Other runs throughout Cohen's work: "the body I chased / it chased me as well / my longing's a place / my dying a sail" as does the image of oneself: "Bend down to this sack of poison / and rotting teeth / and press your lips / to the light of my heart." What emerges is a bitter reflection on poetry "The poems don't love us any more / they don't want to love us / they don't want to be poems" and at the same time the desire to write poetry regardless: "During the day I laugh and during the night I sleep / My favourite cooks prepare my meals, / my body cleans and repairs itself / and all my work goes well."

Dacia Maraini
(traduzione di Francesca Valente)

Le poesie di Leonard Cohen mi fanno pensare ai film di Altman: c'è qualcosa di nevrotico e profondamente poetico nel loro sguardo insistente, ironico e dolente su una America frammentata, spinosa eppure intensamente amata. Vi si incontrano folle disparate e aspre solitudini: "sul sentiero della solitudine/sono giunto al luogo del canto / dove mi sono trattenuto / per metà della mia vita". Vi si incontrano le desolazioni di una città senza più fiori e la tenerezza della neve che cade: "da una finestra del terzo piano / affacciata sul Parc du Portugal / guardavo la neve scendere tutto il giorno / come al solito / non c'è nessuno qui". Vi si incontra l'amore svogliato: "un altro poeta dovrà dirti / quanto ti amo/sono troppo impegnato a guardare il mar d'Arabia", e l'amore acceso: "affamato come un arco / attraverso cui sono passati i reggimenti / sono fra le rovine dietro di te/ con i tuoi abiti invernali / la cinghia rotta del sandalo /. Ma adoro vederti nuda laggiù". Vi si incontra l'immagine dell'altro: "il corpo che ho rincorso/mi ha rincorso a sua volta / il mio desiderio è un luogo / la mia morte una vela" e l'immagine di se stesso"chinati su questo fardello di veleno / e su questi denti guasti / e premi le tue labbra/sulla luce del mio cuore". Vi si incontra una riflessione amara sulla poesia "le poesie non ci amano più/non vogliono amarci/non vogliono essere poesie" e la voglia di continuare a scrivere poesie nonostante tutto: "di giorno rido e di notte dormo. / I miei cuochi preferiti mi preparano i pasti, / Il mio corpo si depura e si rigenera, / e il lavoro procede bene."

Dacia Maraini

Tangle of Matter and Ghost

In Leonard Cohen's poems, the words are hungry; the soul is shipwrecked. The hallelujah is broken, the hill is broken, the "love so vast and shattered it will reach you everywhere". Children wear rags of light. With the humility of his cry, with his epiphanies and wounds, his desire and despair, his knowledge that both belief and doubt are as visceral as love, Cohen understands that, by its very nature, poetry exemplifies an act of faith.

A poem, like a prayer, is wrested from the noise of other words. The poet's faith, the poem's faith, is belief in language. How difficult it is to keep this particular belief alive, the belief that language – abused, embittered, a vehicle of falsehood and politics – can still tell a truth, can still sow change in a reader's heart, can still be used without irony to address God. This purifying of language is one reason for which we must be grateful to poetry. And to Cohen's poems in particular – simple, complex, humourous, the poet prostrate with longing, humility, ecstacy and adoration; his nakedness revealed before God and before lovers, before the disguises and digressions of his own thoughts.

For decades Leonard Cohen has been mapping every kind of hunger and failure, loneliness and union, betrayal and forgiveness, the entwining of the abject and the redeemed. In his poems desire is its own fulfilment, longing its own solace; for these are aches of the human body, alive to holiness, alive in our dying.

Anne Michaels

Viluppo di materia e spirito

Nelle poesie di Leonard Cohen le parole sono affamate e l'anima naufraga alla deriva. L'alleluia si spezza, la collina si spezza, "l'amore è così grande e frantumato che riesce a raggiungerti ovunque". I bambini indossano brandelli di luce. Con l'umiltà del suo grido, con le sue epifanie e le sue ferite, il suo desiderio e la sua disperazione, la sua consapevolezza che sia la fede che il dubbio sono viscerali come l'amore, Cohen realizza che la poesia, per sua natura, incarna un atto di fede. La poesia, come la preghiera, viene spesso distorta dal rumore di altre parole. La fede del poeta, la fede della poesia, è comunque fede nel linguaggio. È particolarmente difficile tenere viva la convinzione che il linguaggio, così abusato ed esacerbato, reso veicolo di menzogne e ideologie politiche, possa ancora esprimere una verità, possa ancora indurre ad un profondo mutamento nel cuore del lettore, possa ancora essere usato senza ironia per rivolgersi a Dio. La capacità catartica del linguaggio è una ragione valida per cui dobbiamo essere grati alla poesia, in particolare a quella di Cohen – semplice e complessa ad un tempo, capace però anche di toni più leggeri. Il poeta si prostra con anelito, umiltà, estasi e adorazione, nudo di fronte a Dio e alla persona amata, di fronte alle finzioni e alle digressioni dei suoi pensieri più profondi.

Per decenni Leonard Cohen ha rilevato ogni tipo brama e di carenza, solitudine e simbiosi, tradimento e perdono, la connaturata unione di abietto e redento. Nelle sue poesie il desiderio è realizzazione, l'anelito è conforto, poiché questi sono i dolori dell'essere umano, vivo nella sua sacralità, vivo persino nella morte.

Anne Michaels
(traduzione di Francesca Valente)

Mon semblable; mon frère

Once upon a time, every educated Jew from Central Europe sought to trace his genealogy to Heinrich Heine. Through various relations, that great poet did indeed appear to be related to half the Jewish families of Europe. After Heine's death, many European poets attempted to achieve the lightness and profundity of his poetry, but it proved a wonder never to be repeated. Lyric poetry has taken many different roads since that time. However, despite a century and a half and the presence of an ocean between them, the songs and poems of Leonard Cohen sometimes contain the same joyous, unstoppable rhythms as those of his German co-religionist. His life as well, so full of movement and female presence, is in some ways similar to that of Heine. The deep initial attachment to Judaism, the study of the Talmud and Kabala, then the abandonment of that into a period of libertinism, with the dark materialism that follows upon it, and the existential questions that result, are virtually obligatory biographical reference points, as is the return to the faith of his fathers in advancing age. But equally visible is how North American culture, with its Celtic origins, has been grafted to his European roots: many of Cohen's songs and poems unfold with the musical concision of Scottish and English ballads, with the same unexpected verbal changes, those small lyrical variations that have since passed on into country music. As strange – but also natural – as it may seem, one even notes a certain family resemblance between Cohen and Italian poets and songwriters contemporary to him, such as Fabrizio De André. The similarity is almost too obvious. De André's repertoire included famous Cohen songs such as, "Chelsea Hotel" and "Suzanne." The melancholy tales of the city and the popular ballad style were common to both songwriters. But Cohen's verse rises into the realm of true poetry, and his success as a novelist places him in a different category.

What is surprising in Cohen's poems is the constant presence of the body, as though shreds of flesh were strewn among his pages and between his musical notes, so intimate his poems seem with life in its cruelest aspects. The poem entitled "Hitler" is a brutal example, but there are others, such as the one about the two lovers, that despite its abstract language feels like an authentic piece of "hot life," to borrow an expression from the Jewish Italian poet Umberto Saba.

The double base of all Cohen's poetry suddenly appears when he

Mon semblable; mon frère

Un tempo ogni letterato ebreo originario dell'Europa centrale cercava di rintracciare la propria parentela con Heinrich Heine. In effetti quel grande poeta era legato da vincoli di parentela a famiglie ebraiche di mezza Europa. Dopo la morte di Heine molti poeti europei hanno provato a raggiungere la leggerezza e profondità che si trovano nelle sue poesie: ma quel prodigio non si è mai più ripetuto. La lirica ha preso strade molto diverse, dopo di allora. Eppure le canzoni e le poesie di Leonard Cohen, a un secolo e mezzo di distanza e con l'Oceano in mezzo, a volte contengono proprio i ritmi giocosi e inarrestabili che si trovano nelle liriche del suo correligionario tedesco. E anche la sua vita, tanto piena di movimento e di figure femminili è in qualche modo simile a quella di Heine. Il profondo attaccamento iniziale all'ebraismo, allo studio del Talmud e della Kabala, l'abbandono di tutto questo, il libertinaggio, un cupo materialismo che ne consegue, gli interrogativi esistenziali sono dati biografici quasi d'obbligo, come lo è anche il ritorno alla fede dei padri quando l'età avanza. Ma l'innesto con la cultura nordamericana d'origine celtica è altrettanto visibile: molte poesie e canzoni di Cohen hanno l'andamento conciso e musicale delle ballate scozzesi e inglesi e sono caratterizzate anche da improvvise piccole variazioni verbali, da iterazioni tipiche di quel modello passato poi nelle canzoni country. E per quanto possa sembrare strano – ma anche naturale – si avverte persino una certa parentela con poeti e autori di canzoni dell'Italia a lui contemporanea, per esempio con Fabrizio De André. È sin troppo facile il paragone. De André aveva messo nel suo repertorio celebri composizioni di Cohen, come "Hotel Chelsea" o "Suzanne". Le malinconiche storie metropolitane, l'andamento da ballata popolare erano comuni a questi due autori. Ma Cohen ha anche registri da vera grande poesia, e il suo successo nella narrativa lo colloca comunque in una categoria diversa.

Quello che sorprende nelle poesie di Cohen è la presenza costante del corpo, come se sulla carta e tra le note musicali ci fossero davvero brandelli di carne, tanto vicino alla vita e ai suoi aspetti anche più trucidi appare la sua poesia. La poesia intitolata "Hitler" ne è un esempio negativo, ma ce ne sono altre, come quella dei due amanti, che pur nella loro astrazione paiono pezzi di "calda vita" come diceva un poeta ebreo italiano: Umberto Saba.

Ma quando Leonard Cohen si dichiara il "più finto dei poeti" improvvisamente appare il doppio fondo di tutta la sua opera, lo

describes himself as "one of the fake poets," with his skepticism wrapped in cruel desperation and finally in liberating irony. Beyond a strange sense of brotherhood, one discovers in these poems an omnipresent aspiration, sometimes illusory, toward "mental liberty," and its ultimate achievement.

These new translations seem to me to render honor to all this.

Giorgio Pressburger
(traduzione di Thomas Simpson)

scetticismo avvolto in crudele disperazione e infine in un'ironia liberatoria. Oltre alla strana fraternità si avverte nelle poesie di questo volume un'onnipresente aspirazione, certe volte illusoria, alla "libertà mentale" e alla sua finale conquista.

Queste nuove traduzioni mi sembra che rendano onore a tutto questo.

Giorgio Pressburger

It is with great interest that I have read Leonard Cohen's poems – some in the original, aided by the fine Italian translation of Francesca Valente – many of which engage thematically with Jewish tradition and culture. Cohen has been well-known in Italy, not only for his music, but also for two novels and numerous poetry collections.

What permeates his work is an attraction to the pure, the uncontaminated, that is capable of mitigating the evils of reality; combined with this is an obsession with History as an inexorable dark force. While Cohen's specific references draw our attention to themes that are still relevant to Jewish culture and destiny – "Hitler" and "Prayer for Messiah" – he also presents a movement away from History and toward history as a cultural record of human affairs. He pursues both of these paths with equal distrust, as shown in the poem "On Hearing a Name Long Unspoken": "History is a needle / for putting men asleep / anointed with the poison / of all they want to keep."

In many of the poems, a form of social commitment and visionary inspiration converge, creating a unique tension, and igniting contemplative images derived from nature that are sometimes parallel to, and sometimes in confrontation with, the "furor" of history. In some poems, the force of love as a possible solution lightens Cohen's dark vision of the world, even when that world-view tends to the cosmic or the religious. His poems are often imbued with vivid autobiographical details from his globe-trotting life as a celebrity, details such as those captured in the poem "A Singer Must Die" or in the lyrics of some of his most famous songs included in this collection.

Although the relationship between poetry and music in his work remains problematic and open, defined with extremely imprecise and shifting borders, the results are nevertheless genuinely remarkable, as this collection shows.

Andrea Zanzotto
(traduzione di Thomas Simpson)

Ho letto con interesse questi testi, taluni in lingua originale, aiutato dalla bella traduzione in italiano di Francesca Valente. I temi più ricorrenti sono quelli legati alla cultura e tradizione ebraica dell'autore, ben noto anche in Italia, oltre che per la celebre produzione musicale, per due romanzi e numerose opere poetiche. Si coglie in questa sua opera un afflato verso una entità pura e mitigatrice dei mali della realtà ma anche un'ossessione della Storia sentita come inevitabile oscura immanenza. Se, come già osservato, si impongono riferimenti precisi a temi ancor attuali inerenti al mondo culturale e al destino ebraici ("Hitler" e "Preghiera per il Messia"), dalla Storia sentita come un oscuro motore della realtà si passa alla storia come codificazione culturale delle vicende umane, per la quale l'autore dimostra di nutrire altrettanta sfiducia, come ben si deduce da alcuni versi della poesia "Udendo un nome a lungo non pronunciato": "la storia è un ago / per fare addormentare gli uomini / consacrato con il veleno / di quel che vogliono conservare".

In una tensione unica convergono una forma di impegno civile e una apertura visionaria e ciò dà luogo ad una frequente derivazione di immagini dalla contemplazione della natura, che si pongono ora in parallelismo ora in scontro con il "furor" della storia. In alcune composizioni si coglie, quasi come un alleggerimento rispetto ad una rappresentazione del mondo cupa e cogente, il senso dell'amore come forza solutiva, anche se tale sentimento tende ad aprirsi in una tensione cosmica, di natura anche religiosa.

Non mancano connessioni con la vita professionale dell'autore, di notorietà mondiale, esplicite nel titolo "Un cantante deve morire" e nella riproposizione dei testi di alcune delle sue più celebri canzoni.

Resta comunque sempre aperto e incombente il problema del rapporto tra poesia e musica, i cui confini sono qualche cosa di estremamente mobile e impreciso, per quanto non manchino esiti talora veramente notevoli, come dimostra questa raccolta.

Adrea Zanzotto

Branko Gorjup

Introduction

Introduzione

"I will not be held a drunkard
under the cold tap of facts
I refuse the universal alibi"

"What I'm Doing Here"
Stranger Music

For the last four and a half decades, Leonard Cohen has been one of Canada's leading literary figures, both as poet and novelist and as one of the world's most influential and revered songwriters. His ten poetry volumes, including *Selected Poems, 1956-1968* (1968) and *Stranger Music: Selected Poems and Songs* (1993), and his two novels, *The Favourite Game* (1963) and *Beautiful Losers* (1966), are immediately identifiable by voice and subject matter, frequently described as dark romantic.

The uniqueness of Cohen's voice lies in its sounding at once immediate and distant, vernacular and mythopoeic, whereas the distinctiveness of his subject lies in its ambivalence, rendering the speaker and the addressee in the poems inconclusive, protean, so that the poet's intentions remain elusive, open to different interpretations. Cohen's literary world is one in which sensuality and spirituality, body and soul, exist in a symbiotic relationship rather than as unbridgeable dichotomies, a place where human feelings, as he himself declared in a recent interview, "run from coarse to elevated and refined." Cohen's songs, collected in 18 albums, are similarly marked by the twin emanations of physical love and spiritual ecstasy, both stemming from a deep-seated human desire that spans earthly gratification and transcendental longing.

When Cohen's first album, *Songs of Leonard Cohen*, appeared in 1967, he had already published four collections of poetry and two novels, and had received significant critical acclaim both inside and outside Canada. His international fame, however – his elevation to a cult figure – was based almost entirely on his popularity as a songwriter and singer. This entry into the wider world of pop culture, as he himself confessed, was the result of a conscious decision on his part: to free himself from the financial restrictions imposed by the poet's limited readership, and simultaneously to deliver poetry from its elitist confines into the world of mass culture so that he could participate in it – could be, as he once said, "in the marketplace."

attaccato alla fredda botte dei dati di fatto
rifiuto l'alibi universale"

"Che ci faccio qui"
Stranger Music

Da oltre quarantacinque anni, Leonard Cohen figura tra i nomi di spicco del panorama letterario canadese, sia come poeta e romanziere che come cantautore tra i più influenti e acclamati. I suoi dieci volumi di poesia, tra i quali *Selected Poems, 1956-1968* (1968) e *Stranger Music: Selected Poems and Songs* (1993), e i suoi due romanzi, *The Favourite Game* (1963) e *Beautiful Losers* (1966), sono immediatamente identificabili in virtù della voce e dei soggetti, spesso descritti come esempi di un cupo romanticismo.

L'unicità della voce di Cohen risiede nel suo essere a un tempo immediata e distante, gergale e mitopoietica, mentre ciò che distingue i suoi soggetti è l'ambivalenza che rende inconcludenti, proteiformi, l'io parlante e il destinatario delle poesie, cosicché le intenzioni del poeta rimangono elusive, aperte a differenti interpretazioni. Nel mondo letterario di Cohen sensualità e spiritualità, corpo e anima, non si presentano come dicotomie insanabili, ma coesistono in un rapporto simbiotico, uno spazio in cui i sentimenti umani, come lui stesso ha dichiarato in una recente intervista, "spaziano dal grossolano all'elevato e raffinato." Analogamente le canzoni di Cohen, raccolte in 18 album, sono attraversate dal duplice influsso di amore fisico ed estasi spirituale, l'uno e l'altra generati da un profondo desiderio umano, che fonde gratificazione terrena e anelito trascendentale.

Al momento della pubblicazione del suo primo album, *Songs of Leonard Cohen*, nel 1967, Cohen aveva già pubblicato quattro raccolte di poesie e due romanzi, e aveva ricevuto significativi riscontri di critica sia in Canada che all'estero. Ma la sua fama internazionale – la sua ascesa a oggetto di culto – è stata pressoché interamente dovuta alla sua popolarità come cantautore e cantante. Per sua stessa ammissione, l'ingresso nel vasto mondo della cultura *pop* è stato il risultato di una decisione ben precisa: liberarsi dalle ristrettezze finanziarie imposte dal limitato bacino di lettori di un poeta, e insieme sottrarre la poesia ai propri confini elitari, introdurla nel mondo della cultura di massa per prendervi parte, per poter essere, come ebbe a dire una volta, "nel mercato."

Molto è stato scritto a proposito del duplice ruolo di Cohen. Alcu-

Much has been written about Cohen's double role. For some critics it is a struggle to reconcile the literary figure with the pop singer, to grant equal value to both. Others, in contrast, see his effortless shuttling between the spheres of literature and music as having enriched both. The poet in Cohen is credited with bringing gravity and depth to his songs and complexity to his lyrics. Unlike so many pop lyrics, Cohen's songs confront and wrestle with large issues such as the meaning of spirituality, the possibility of transcendence, acquiescence in mortality, and the aspects of everyday life that lead to social alienation and cultural imprisonment. Similarly, the popular singer-songwriter in the poet is honoured for the loosening up of poetry's high-brow reputation, for bringing into Cohen's poems the rougher rhythms and colloquial cadences of "the market-place" and a salutary 'contamination' by popular culture. It is not surprising, therefore, that an older, renowned Canadian modernist poet of the ordinary, Raymond Souster, dedicated a poem to Cohen in which he cheers him on with infectious gusto: "Sock it to 'em Leonard, / grind it / bump it out, boy! / Make that old bitch poetry / shake her rusty ass!"

When Cohen himself speaks about the two facets of his art, when he is asked to compare his poems with his songs, he is serious and penetrating about both. For him the poetic form is not necessarily more exigent or significant than that of a song but only different, and the difference between the two is fundamentally temporal. Since a poem is "a very private experience," it is not, like a song, entirely predicated on a "driving tempo." The reader of a poem sets his own temporal reference, which allows him to move back and forth through the text, to pause or to stop altogether and resume at will. The listener of a song, in contrast, must of necessity respect a given tempo because a song is "designed to move swiftly from…mouth to mouth, heart to heart," whereas "a poem really speaks to something that has no time…" This does not mean that poetry cannot make its own music. Poetry is musical in the sense that it "just [has] a different tempo. And it's a tempo that migrates, depending on what the mood of the reader is."[1]

Leonard Cohen was born in Montreal, in 1934, and lived his formative years in   Westmount, a well-established English-speak-

---

[1] Jeffrey Brow. *Songwriter Leonard Cohen Discusses Fame, Poetry and Getting Older*. Originally Aired on PBS: June 28, 2006.

ni critici si sono affannati nel tentativo di riconciliare la figura del letterato con quella del cantante *pop*, per rivendicare il pari valore di entrambe. Altri hanno invece ritenuto che il suo spontaneo oscillare tra le sfere della letteratura e della musica sia riuscito ad arricchire l'una e l'altra. Al Cohen poeta viene riconosciuto il merito di aver dato spessore e profondità ai brani, complessità ai testi: diversamente da molti cantanti *pop*, nelle sue canzoni Cohen affronta grandi temi come la possibilità del trascendente, l'acquiescenza nella condizione mortale, e gli aspetti della vita quotidiana che portano all'alienazione sociale e all'imprigionamento culturale. Parallelamente, si onora il cantautore *nel* poeta per aver allentato l'aura di sussiego intorno alla poesia stessa, per aver introdotto nei testi di Cohen i ritmi scabri e le cadenze colloquiali del "mercato" e una salutare 'contaminazione' con la cultura popolare.

Quando è Cohen stesso a parlare delle due facce della sua arte, quando gli viene chiesto di confrontare le sue poesie e le sue canzoni, è ugualmente serio e penetrante su entrambe. Per lui la forma poetica non è necessariamente più esigente o significativa di quella della canzone, ma semplicemente differente, e la differenza è fondamentalmente temporale. Dal momento che una poesia è "un'esperienza molto privata", non può essere, come una canzone, interamente fondata su un "tempo guida". Il lettore di una poesia dispone dei propri riferimenti temporali, che gli consentono di muoversi avanti e indietro lungo il testo, di fare una pausa o fermarsi del tutto, per poi riprendere a piacere. L'ascoltatore di una canzone, invece, deve necessariamente rispettare un preciso tempo musicale, perché una canzone è "pensata per muoversi agilmente... di bocca in bocca, di cuore in cuore", mentre "una poesia parla davvero con qualcosa che non ha un tempo..." Ciò non significa che la poesia non sia in grado di creare la propria musica. La poesia è musicale nel senso che ha "semplicemente un tempo diverso. Ed è un tempo che migra, a seconda dello stato d'animo del lettore."[1]

Leonard Cohen è nato a Montreal nel 1934, e ha trascorso gli anni della sua formazione a Westmount, consolidata enclave anglofona nel cuore di una città di lingua prevalentemente francese. Suo padre, di professione ingegnere, era proprietario di un'avviata manifattura di abiti e membro eminente della locale comunità ebraica. Per un certo periodo, il giovane Cohen frequentò sia la Westmount High School, dove divenne una sorta di studente-fenomeno in letteratura classica e

---

[1] Jeffrey Brow. *Songwriter Leonard Cohen Discusses Fame, Poetry and Getting Older*. Prima trasmissione sulla PBS: 28 giugno 2006.

ing enclave in the heart of a largely French-speaking city. His father, by profession an engineer, was the owner of a successful company that manufactured clothing and a prominent member of the local Jewish community. For a time, young Cohen attended both Westmount High School, where he became something of a star scholar in the classics and English literature, and a Hebrew *shul*, where his maternal grandfather, a rabbi, helped him develop a fondness for the Old Testament that would remain with him throughout his life, manifesting itself in much of his writing. At the age of 17 he went on to McGill University, where he studied Arts and formed a country-western trio called the Buckskin Boys.

At this time Cohen also started writing poetry and became part of the local literary scene. As it happened, Montreal – McGill in particular – was already playing a leading role in the growing world of Canadian poetry; it was a splendidly fitting place for a budding young poet like Cohen to be. It had seen the rise of the first phase of Canadian Modernism, founded in the 1920s by A.J.M. Smith and a group of young poets, including F.R. Scott, Leo Kennedy, Leon Edel and A.M. Klein, who would later become known as the Montreal Group. Significantly, in the 1950s, F.R. Scott turns up as one of Cohen's teachers at McGill. Under the influence of T.S. Eliot and Ezra Pound, these poets brought to Canada the metaphysical and mythopoeic tendencies of the Modernist movement abroad, and began to produce poetry that was sophisticated, craft-conscious, deliberately intellectual, and emotionally detached. In the early 1940s, Montreal saw the emergence of a second generation of Canadian Modernists, gathered around two literary journals, *Preview* and *First Statement*, which represented two separate and well-defined ideologies. The *Preview* group – including P.K. Page and Patrick Anderson, as well as F.R. Scott and A.M. Klein from the previous generation – was influenced by the poetry of social protest produced in Britain by Stephen Spender and W.H. Auden. The *Preview* poets held onto the technical sophistication and cosmopolitan orientation which had been the hallmark of Smith's brand of Modernism, but abandoned Smith's heavy handed aestheticism.

In contrast, the *First Statement* group – founded by the journal's editor, John Sutherland, and including the young Irving Layton and Louis Dudek – vigorously attacked what they believed was Smith's literary inheritance, now carried forward by the *Preview* poets. It is important to point out that both Layton and Dudek would later be of considerable importance to Cohen's literary development – Layton

inglese, e una *shul* ebraica dove il nonno materno, un *rabbi*, lo aiutò a coltivare una passione per l'Antico Testamento che lo avrebbe accompagnato per tutta la vita, manifestandosi in molti dei suoi scritti. All'età di 17 anni proseguì gli studi in Arte alla McGill University, dove fondò un trio country-western chiamato *The Buckskin Boys*. In questo periodo Cohen iniziò anche a scrivere poesie e si affermò sulla scena letteraria locale. Sullo sfondo, Montreal – con la McGill in particolare – aveva già acquisito un ruolo di primo piano nel panorama in sviluppo della poesia canadese, ed era perciò il luogo ideale in cui un giovane poeta come Cohen potesse trovarsi a sbocciare. La città era stata testimone del sorgere della prima fase del Modernismo canadese, avviato negli anni '20 da A.J.M. Smith e dal gruppo di giovani poeti destinati ad affermarsi come il Gruppo di Montreal, che includeva A.M. Klein, Leo Kennedy, Leon Edel e F.R. Scott. Non è un caso che quest'ultimo, negli anni '50, sia stato uno degli insegnanti di Cohen alla McGill. Questi poeti, sotto l'influenza di T.S. Eliot ed Ezra Pound, trapiantarono in Canada le tendenze metafisiche e mitopoietiche del movimento modernista e iniziarono a produrre un tipo di poesia sofisticata, forbita, deliberatamente intellettuale ed emotivamente distaccata. Reagirono ai fattori negativi e al caos del loro tempo, come la maggior parte dei primi modernisti, ritirandosi in una realtà alternativa che poteva essere contemplata attraverso l'arte.

Nei primi anni '40, Montreal vide l'emergere della seconda generazione di Modernisti canadesi, che si raccolse intorno a due riviste letterarie, *Preview* e *First Statement*, facenti capo a ideologie opposte e ben definite. Il gruppo di *Preview*, cui apparteneva Leonard Cohen, includeva Neufville Shaw, Bruce Ruddick, Patrick Anderson, insieme a rappresentanti della generazione precedente come F.R. Scott e A.M. Klein. Sebbene l'influenza questa volta provenisse dalla poesia di protesta sociale, prodotta in Gran Bretagna da Stephen Spender, W.H. Auden e altri, i poeti di *Preview* non rinunciarono alle sofisticazioni tecniche e agli orientamenti cosmopoliti, che avevano costituito il marchio caratteristico del modernismo di Smith, ma ne rifiutarono il marcato estetismo.

D'altro canto, il gruppo di *First Statement* – fondato dal direttore della rivista, John Sutherland, cui si associarono poi altri giovani poeti come Irving Layton e Louis Dudek – attaccò con forza quella che riteneva essere l'eredità letteraria di Smith, portata avanti a quell'epoca dai poeti di *Preview*. In particolare Sutherland, senza dubbio il più franco e il più dogmatico del gruppo, accusava *Preview* di un nuovo tipo di colonialismo culturale, sapientemente mascherato di cosmopolitismo. L'importanza storica dei poeti di *First Statement* risiedette

as a mentor and a life-long friend and Dudek as another teacher at McGill, who also happened to publish Cohen's first collection, *Let Us Compare Mythologies* (1956). The historical importance of the *First Statement* poets was their passionate promotion of the kind of writing that would explore and articulate the local within its North American context. Dudek and Layton in particular encouraged quotidian, deliberately unpolished language – diction and cadence that were supposed to reflect both the rawness of the vast 'unfinished' continent and the energy of its growing urban population.

In his "Introduction" to *Leonard Cohen: The Artist and His Critics* (1976), a collection of critical responses to Cohen's work, Michael Gnarowski provides a useful historical context for the study of Cohen's literary achievement. He not only locates Cohen within the tradition founded by the Canadian Modernist movement in the 1920s, briefly discussed above, but also sees him as someone who "completed the process" that gave shape to that tradition. "His act," argues Gnarowski, "was one of turning his back on all established conventions, and, in a pursuit of a new and promising cult of personality, he carried his disaffection to a predictable conclusion in his rebellion against the conventional self."[2] The real impetus for Cohen's rejection of institutions and their values Gnarowski traces back through Cohen's early poetry to the Beat movement that came to prominence in the late 1950s and early 1960s in the U.S. At the heart of this movement, Gnarowski finds the "desire to wrench oneself from the familiar and to turn life into a truly private act,"[3] an impulse that is often tangibly present in Cohen's poetry.

It is significant, however, that after graduating from McGill, Cohen's restless spirit took him not to the U.S. West Coast, that Mecca of the Beat generation, but rather to New York, where he attended graduate school at Columbia University for a brief period, and then on to Europe, where he eventually settled in 1960 on the Greek island of Hydra. During a seven-year sojourn at Hydra, Cohen produced two other collections of poetry, *Flowers for Hitler* (1964) and *Parasites of Heaven* (1966), and his two novels. *The Favourite Game*, a quasi-autobiographical work, is a portrait of the

---

[2] Michael Gnarowski. *Leonard Cohen: The Artist and His Critics*. New York: McGraw Hill, 1976; Toronto: Ryerson, 1976, p 4.

[3] —. *Leonard Cohen: The Artist and His Critics*. New York: McGraw Hill, 1976; Toronto: Ryerson, 1976, p. 3.

nella loro appassionata promozione di una scrittura autoctona in un più vasto contesto nordamericano: Dudek e Layton, in particolare, incoraggiavano l'uso di un linguaggio piano e quotidiano, deliberatamente grezzo, una dizione e una cadenza che avrebbero dovuto riflettere tanto la rozzezza di un vasto continente "non finito", quanto l'energia del suo popolo in crescita. È importante notare come sia Layton che Dudek sarebbero divenuti in seguito figure significative per l'evoluzione letteraria di Cohen, il primo come mentore e amico di una vita, il secondo come insegnante alla McGill nonché editore della prima raccolta di Cohen, *Let Us Compare Mythologies* (1956).

Nella sua "Introduzione" alla raccolta di saggi *Leonard Cohen: The Artist and His Critics* (1976), Michael Gnarowski offre un'utile contestualizzazione storica per lo studio dei risultati letterari raggiunti da Cohen. Quest'ultimo viene infatti collocato nell'alveo della tradizione originata dal già citato movimento modernista canadese negli anni '20, ma è anche indicato come colui che avrebbe "portato a termine il processo" che a quella tradizione aveva dato forma. "Il suo," argomenta Gnarowski, "è stato l'atto di chi volta le spalle a tutte le convenzioni: alla ricerca di un nuovo e promettente culto della personalità, nella sua ribellione contro il sé convenzionale egli ha condotto la sua disaffezione a una conclusione prevedibile."[2] Attraverso le poesie giovanili di Cohen, Gnarowski rintraccia nel movimento Beat, sviluppatosi negli Stati Uniti tra la fine degli anni '50 e l'inizio degli anni '60, l'impulso profondo sotteso al rifiuto delle istituzioni e dei loro valori da parte di Cohen stesso. Al cuore di quel movimento Gnarowski identifica il "desiderio di strapparsi a ciò che è familiare e trasformare la vita in un atto realmente privato,"[3] un impulso che è spesso chiaramente presente nella poesia di Cohen.

È comunque significativo che, dopo la laurea alla McGill, lo spirito irrequieto di Cohen lo abbia condotto non sulla West Coast degli Stati Uniti, la Mecca della *beat generation*, ma piuttosto a New York, dove per un breve periodo frequentò una scuola di specializzazione presso la Columbia University, e in seguito in Europa, dove alla fine si stabilì nel 1960, sull'isola greca di Hydra. Durante i sette anni del soggiorno a Hydra, Cohen produsse altre due raccolte di poesie, *Flowers for Hitler* (1964) e *Parasites of Heaven* (1966), e i suoi due romanzi. *The Favourite Game*, opera ai confini dell'autobiografia, è un ritratto del giovane artista, nel quale il lettore segue un ragazzino

---

[2] Michael Gnarowski. *Leonard Cohen: The Artist and His Critics*. New York: McGraw Hill, 1976; Toronto: Ryerson, 1976, p. 4.

[3] —. *Leonard Cohen: The Artist and His Critics*. New York: McGraw Hill, 1976; Toronto: Ryerson, 1976, p. 3.

young artist, in which the reader follows a Montreal Jewish boy as he transforms himself into a poet and a pop singer, a transformation that is beset with the ups and downs caused by a series of truncated love affairs. *Beautiful Losers*, in contrast, rejects verisimilitude and, unlike the first novel, is a daring exploration of new forms and modes of expression; it is a risk-taking, uninhibited work that brings together in a dizzying vortex the erotic and the saintly, the historical and the fantastic, in a language that ranges from burlesque and shocking to elegiac and deeply moving. All the major themes and sub-themes, moods and obsessions that crisscross this extraordinary work of imaginative and artistic virtuosity are revisited by Cohen again and again in his poems and songs, giving his entire work a sense of aesthetic and spiritual continuity.

Beautiful Losers represents, above all, a kind of template for all of Cohen's work down to the present, which George Woodcock, one of his first serious critics, rightly locates in the novel's oxymoronic title that juxtaposes the notions of being beautiful and of being a loser: "The solipsist creates beauty within the mind that is his only real world; he loses because the actual world outside the mind does not correspond to his visionary world and yet it impinges on his life."[4] Woodcock's characterization of Cohen's poetic impulse – like the one cited earlier by Gnarowski, describing Cohen's poetic persona as pulling away from the familiar and turning his "life into a truly private act" – is fundamentally romantic. Consequently, Woodcock, without any reservation, sees the best of Cohen's poems as lyrics that "would have been successful in any genuinely romantic period – the Elizabethan, the Blake-to-Byron age, the Decadence from Swinburne to Dowson."[5] Certainly the Romantic undercurrent detected by Woodcock has continued in Canada straight into the era of modernity and beyond. It was most strikingly manifested in Irving Layton – but also strongly present in the poetry of Gwendolyn MacEwen and Cohen himself, among others – for whom the poet is a solitary individual burdened by the past, rebel-

[4] George Woodcock. "The Songs of the Sirens: Notes on Leonard Cohen" in *Odysseus Ever Returning: Essays On Canadian Writers and Writing*. Toronto: McClelland and Stewart, 1970, p. 104.
[5] —. "The Songs of the Sirens: Notes on Leonard Cohen" in *Odysseus Ever Returning: Essays On Canadian Writers and Writing*. Toronto: McClelland and Stewart, 1970, p. 106.

ebreo di Montreal lungo la sua trasformazione in poeta e cantante *pop*, accompagnata dagli alti e bassi causati da una serie di storie d'amore interrotte. *Beautiful Losers*, invece, rifugge dalla verosimiglianza e, diversamente dal primo romanzo, costituisce un'ardita esplorazione di nuove forme e modalità di espressione; è un'opera audace, priva di inibizioni, che assomma in una vertiginosa spirale l'erotico e il celestiale, lo storico e il fantastico, in un linguaggio che spazia dal burlesco e scioccante all'elegiaco e profondamente commovente. Tutti i principali temi e sotto-temi, stati d'animo e ossessioni che s'intrecciano in una serie straordinaria di virtuosismi immaginativi e artistici, sono continuamente rivisitati da Cohen nelle sue canzoni e poesie, conferendo all'intera sua produzione un senso di continuità estetica e spirituale.

Beautiful Losers rappresenta soprattutto una sorta di modello per tutta l'opera di Cohen fino ad oggi, che George Woodcock, uno dei suoi primi critici seri, giustamente identifica nel titolo ossimorico del romanzo, che giustappone le nozioni dell'essere bello e dell'essere un perdente: "Il solipsista crea bellezza nella mente, che è il suo unico mondo reale; perde perché il mondo vero, all'esterno della mente, non corrisponde al suo mondo visionario e tuttavia viene in urto con la sua vita."[4] La caratterizzazione dell'istinto poetico di Cohen tratteggiata da Woodcock (al pari di quella di Gnarowski, per cui l'io poetico di Cohen si allontanerebbe da ciò che è familiare per trasformare "la vita in un atto realmente privato") è fondamentalmente romantica. Conseguentemente, Woodcock ritiene senza riserve che le migliori poesie di Cohen "avrebbero avuto successo in qualunque periodo genuinamente romantico: quello elisabettiano, l'età da Blake a Byron, il periodo decadente da Swinburne a Dowson."[6] Sicuramente la corrente nascosta rintracciata da Woodcock ha avuto seguito in Canada nell'era moderna e oltre, ed ha avuto la sua manifestazione più evidente (pur essendo presente nella poesia di Gwendolyn MacEwen e dello stesso Cohen) in Irving Layton, per il quale il poeta è un solitario, carico del peso del passato, ribelle verso il presente e preoccupato dal futuro. Uno tra i migliori esempi di elaborazione di una poetica romantica modernista può essere rintracciato nella fortunata poesia di Layton dal titolo "The Birth of Tragedy", nella quale la più

---

[4] George Woodcock. "The Songs of the Sirens: Notes on Leonard Cohen" in *Odysseus Ever Returning: Essays On Canadian Writers and Writing*. Toronto: McClelland and Stewart, 1970, p 104.
  [5] —."The Songs of the Sirens: Notes on Leonard Cohen" in *Odysseus Ever Returning: Essays On Canadian Writers and Writing*. Toronto: McClelland and Stewart, 1970, p. 106.

lious against the present, and apprehensive of the future. One of the best examples of the workings of a modernist romantic poetics can be found in Layton's celebrated poem "The Birth of Tragedy," in which the poet's greatest gift is his ability to embrace all of the world's disparate elements, "like a pool / water and reflection." Poetry, in other words, transcends the dialectics of the sublunary world and cancels out, at least imaginatively, the individual's alienation from his environment. It is only through poetry, Layton believes, that the individual can achieve transcendental reconciliation with the world of flux and accept his participation in an ongoing cyclical movement, in a process of transformation that takes him from birth through growing and death to some sort of re-embodiment. In the poignant poem "My Mother Is Not Dead," Cohen subscribes to such a migration of the soul as well as to the poet's acquiescence in it: "The tree is trying to touch me. / It used to be an afternoon. / Mother, mother, / I don't have to miss you any more. / Rover, Rover, Rex, Spot, / Here is the bone of my heart." Or, in the singularly sincere, autobiographical "Mission": "Now that my mission / has come to its end, / I pray I'm forgiven / the life that I've led. // The body I chased, / it chased me as well. / My longing's a place, / my dying's a sail."

The reader, in Cohen's work, is faced with certain fundamental issues that are common to the larger Romantic worldview. Most frequently the issue is love, cast in a variety of expressions that run from the carnal to the spiritual, from deceptive and destructive to genuine and life-inspiring. The other most fundamental issue is the quest, the persona's search for some kind of spiritual unity with the phenomenal and the divine. The quest involves a probing activity which, along the way, unearths the psyche's darkest and most troubling spots. Love and the search for a godhead are always, in one form or another, present in Cohen's poetry: they dissolve into one another and mutate into separate themes, exploring the subject and the object from most unusual angles, drawing the reader into the speaker's and the addressee's orbit, into an incessant dialogical relationship with both. The addressee, however, can be anyone or anything from woman, lover, saint, and prophet to the reader, the poet's own soul, and G-d (Cohen's Jewish spelling for God) − all interchangeable and veiled in ambiguity.

Probably one of the most striking tropes in Cohen's poetry is that of the male persona's agonizing over the proceeds of love which he may or may not satisfactorily derive from a relationship

grande dote del poeta è la sua capacità di abbracciare la totalità dei diversi elementi del mondo, "come uno stagno / acqua e riflesso." La poesia, in altre parole, trascende la dialettica del mondo sublunare ed elimina, almeno sul piano dell'immaginazione, l'alienazione dell'individuo dall'ambiente. È solo attraverso la poesia che, secondo Layton, l'individuo può ottenere la riconciliazione trascendentale con il mondo del fluire, e accettare la propria partecipazione a un continuo moto ciclico: un processo di trasformazione che, a partire dalla nascita, lo conduce attraverso la crescita e la morte a una sorta di reincarnazione. Nell'intensa poesia "Mia madre non è morta," Cohen aderisce all'idea di una simile migrazione dell'anima, e al tacito consenso del poeta: "L'albero cerca di toccarmi / Una volta era un pomeriggio. / Madre, madre, / non devo più sentire la tua mancanza / Rudy, Rudy, Pluto, Fido, / Ecco qui l'osso del mio cuore." O in "Mission", testo singolarmente sincero, autobiografico: "Ora che la mia missione / È giunta a termine / Prego che mi venga perdonata / La vita che ho condotto // Il Corpo che ho rincorso / Mi ha rincorso a sua volta / Il mio desiderio è un luogo / La mia morte una vela."

Nell'opera di Cohen, il lettore si trova davanti a temi fondamentali, comuni a una visione del mondo romantica in senso lato. Nella maggior parte dei casi il tema è l'amore, declinato in una varietà di espressioni che vanno dal carnale allo spirituale, dall'ingannevole e distruttivo all'autentico e portatore di vita. La seconda tematica predominante è la ricerca, l'aspirazione del soggetto a una sorta di unità spirituale con lo straordinario e il divino. La ricerca implica un'indagine continua che, lungo il percorso, disseppellisce gli aspetti più oscuri e problematici della psiche. L'amore e la ricerca di una presenza divina sono, in un modo o nell'altro, sempre presenti nella poesia di Cohen: si dissolvono l'uno nell'altra e si trasformano nei temi più vari, esplorando il soggetto e l'oggetto dalle angolazioni più insolite, trascinando il lettore dell'orbita dell'io parlante e del destinatario, in un incessante rapporto dialogico con entrambi. Il destinatario, d'altronde, può essere chiunque, qualsiasi cosa, a partire da una donna, un'amante, un santo, un profeta, per arrivare al lettore, all'anima del poeta, a D-o (la grafia ebraica per "Dio", adottata da Cohen), tutti intercambiabili e velati di ambiguità.

Uno dei *tropoi* più notevoli all'interno della poesia di Cohen è rappresentato probabilmente dalla sofferenza del personaggio maschile, dovuta alle conseguenze di un amore che egli può (o non può) far derivare in modo soddisfacente dalla relazione con il destinatario femminile. Ma la rappresentazione che Cohen dà della donna è tutt'altro che semplice. È anzi declinata nei termini di differenti manife-

with the female addressee. But Cohen's representation of the female is anything but straightforward. It is, instead, cast in terms of different archetypal manifestations, not unlike those found in classical texts, which defined the genre of romance and late 18th and 19th century Romantic poetry, and according to which the female could slip in and out of various roles, negative and positive. In Cohen's poetry she appears, likewise, though always modified by the poet's contemporary sensibility, at opposite ends of the spectrum, incarnated into an urban temptress who uses her physical beauty and carnal appeal to trap a man and undermine his freedom, or into a muse who inspires and assists him along his arduous quest in search of the transcendental, which is usually glimpsed only in the phenomenal, in our debris-strewn technological civilization She is no heavenly Venus.

In his early poem "Letter," we find a woman who belongs to the first category, yet overlaps with the second. She seduces her lover in spite of her alleged brutality, which seemingly does not weaken his desire for her: "How you murdered your family / means nothing to me / as your mouth moves across my body." Carnal love here is blind. Nevertheless, because the male lover introduces a powerful dose of irony into the interplay between the two of them, he ultimately upsets the poem's romantic blueprint. Yes, he is seduced by her, but unlike Circe's victims, he is fully aware of her power and knows that this type of love will be fatal for him in the end. Still he does not mind because he "anticipated" it all and could write it down in a letter to her – the poem we are reading – before his head joins the dripping heads of other generals hanging "from [her] house gate," so that she "will know that it meant nothing to [him]." In stark contrast to "Letter," the poem "Sisters of Mercy" depicts two young women the speaker encounters in purely spiritual terms: "they touched both my eyes / and I touched the dew on their hem." They bring him comfort and "this song." They also bring him renewal: "If your leaf is a leaf / that the seasons tear off and condemn / they will bind you with love / that is graceful and green as a stem." In this poem, love is "graceful and green as a stem" – the speaker does not, as he does in "Letter," taste "blood on [the woman's] tongue." But both experiences are transformed into art.

Between these two poles, there are other variations on the theme of love. There is, for example, the love of the saint for the world – as embodied in Joan in "Joan of Arc" – which is so great and all-consuming that the saint gives himself/herself up, as Cohen

stazioni archetipiche, non dissimili da quelle che si ritrovano nei testi classici che consacrarono il genere della romanza o nella poesia romantica di fine XVIII e XIX secolo, per cui la donna può scivolare da un ruolo all'altro, di volta in volta negativo o positivo. Similmente nella poesia di Cohen essa appare, pur sempre modificata dalla sensibilità contemporanea del poeta, agli estremi dello spettro, incarnata ora in una tentatrice urbana che usa la propria bellezza e il proprio fascino carnale per intrappolare un uomo e minare la sua libertà, ora in una musa che lo ispira e lo assiste lungo la sua ardua ricerca di quel trascendente che, tra i detriti sparsi per la nostra civiltà tecnologica, si manifesta solo nello straordinario. Non è certo una Venere celestiale.

In un suo componimento giovanile, "Lettera", troviamo una donna che appartiene alla prima categoria, ma si sovrappone alla seconda: seduce l'amante nonostante la propria presunta brutalità, che apparentemente non indebolisce il desiderio di cui è fatta oggetto: "Come hai ucciso la famiglia / non significa nulla per me / mentre la tua bocca mi sfiora tutto il corpo." L'amore carnale è qui cieco. Eppure, introducendo una potente dose di ironia nel gioco tra le due tipologie di donna, l'uomo-amante finisce per alterare l'intento romantico della poesia. Egli ne è, sì, sedotto, ma diversamente dalle vittime di Circe è pienamente consapevole del potere di lei, e sa che questo tipo di amore finirà per essergli fatale. Eppure non gli importa, perché ha "previsto" tutto e potrebbe addirittura scrivergliélo in una lettera – la poesia che stiamo leggendo – prima che la sua testa vada ad aggiungersi alle altre teste di generali che, sanguinanti, penzolano "dai cancelli di casa [sua]," affinché sappia "che per [lui] non voleva dire nulla". In un aspro contrasto con "Lettera", la poesia "Sorelle della Misericordia" dipinge due giovani donne con cui l'io parlante ha un incontro puramente spirituale: "Mi sfiorarono entrambi gli occhi / ed io sfiorai la rugiada sull'orlo delle loro vesti." Esse gli recano conforto e "questo canto." Sono fonte di rinnovamento: "Se la vostra vita è una foglia / che le stagioni strappano e condannano / vi fasceranno d'amore / leggiadro e verde come uno stelo." In questa poesia, l'amore è "leggiadro e verde come uno stelo", il protagonista non sente, come in "Lettera", "il sapore del sangue sulla lingua [della donna]." Ma entrambe le esperienze vengono trasformate in arte.

Tra questi due poli, vi sono altre variazioni sul tema dell'amore. C'è, ad esempio, l'amore del santo per il mondo, incarnato da Giovanna in "Giovanna d'Arco". Un amore così grande e divoratore da portare il santo ad abbandonarsi, come avviene in "Cos'è un santo", alle "leggi della gravità e del caso," "lungi dal volare con gli angeli." Giovanna si abbandona al fuoco, suo amante terreno, e ne è consuma-

describes in another poem, "What Is a Saint," to "the laws of gravity and chance," "far from flying with the angels." Joan gives herself to fire, her earthly paramour, and is consumed by it: "It was deep into his fiery heart / he took the dust of Joan of Arc, / and then she clearly understood / if he was fire, oh, then she was wood." In the poem's epilogue, the speaker significantly sounds out the meaning of such spiritual fervency, such religious ecstasy as Joan's: "Myself, I long for love and light, / but must it come so cruel, must it be so bright!" Then, there is also the "cold" love. In the extraordinary poem "Queen Victoria and Me," the speaker takes the reader on a sordid journey into an idea-driven civilization, into a rational empire presided over by a "slim unlovely virgin," "the mean governess" with her "huge pink maps." He proclaims, "I love you too in all your forms," but is left feeling "cold and rainy" and "dirty as a glass in a train station," as an "empty cast-iron exhibition." Here, too, the speaker's deadly irony deconstructs what could have been a technological romance, turning it into a passionless, cold, demonic parody of itself.

The most wholesome form of love, which harmonizes all the disparate aspects of life, and which is fundamentally at the heart of Cohen's poetics, is presented in the wonderfully sacramental poem and song "Suzanne." The experience of reading or hearing it is very intimate and direct as the speaker addresses himself, the reader and, possibly, God. Love here, though earthly, is deeply spiritual. The "You" in the poem, which may be the self-referential you of the speaker, as well as that of the reader, is taken on a strange pilgrimage by a "half-crazy" priestess, "our lady of the harbour," to look for and find love among "the garbage and the flowers," among dead heroes and children. This is the same world in which Christ, featured in the second stanza, offered his kind of love but ended up on his "lonely wooden tower," himself "broken / long before the sky would open / forsaken, almost human." Instead of finding resurrection he sinks "beneath your wisdom like a stone" – He sinks, as everyone ultimately does, and joins the vast and ever-growing community of spirits. The world depicted in "Suzanne" offers the possibility of the body and the spirit being, once again, united, each touched by the other, in a transformed world in which one can close one's eyes because it has become possible to see with the inner eye.

Cohen has consistently resisted rigid definitions and classifications in terms of profession, religion, political orientation, and so on, even though his work has engaged in all these categories with

ta: "Nel profondo del suo cuore ardente / accolse la polvere di Giovanna d'Arco, / e allora lei capì perfettamente / se lui era il fuoco, oh, lei doveva essere la legna." Nell'epilogo della poesia, l'io parlante dà significativamente voce al senso di un tale fervore spirituale, di un'estasi come quella di Giovanna: "Quanto a me, anelo alla luce e all'amore, / Ma deve proprio essere così crudele, così luminoso!" Ancora: c'è anche l'amore "freddo". Nella straordinaria poesia "La regina Vittoria ed io," l'io parlante accompagna il lettore in un sordido viaggio in una civiltà idealistica, in un impero razionale presieduto da una "esile vergine sgraziata," "la severa governante" con le sue "enormi mappe rosa." Lui proclama, "ti amo anch'io in tutte le tue forme," ma viene abbandonato, "freddo e piovoso" e "sporco come la pensilina di vetro in una stazione ferroviaria", come "un'arcata di ferro vuota". Anche in questo caso la mortale ironia della voce narrante decostruisce quella che avrebbe potuto essere una storia d'amore tecnologica, trasformandola in una impassibile, fredda, demoniaca parodia di se stessa.

La più sana tra le forme dell'amore, che armonizza tutti i diversi aspetti della vita e costituisce fondamentalmente il cuore della poetica di Cohen, è presentata nella poesia/canzone "Suzanne", splendidamente sacramentale. L'esperienza della lettura o dell'ascolto di "Suzanne" è particolarmente intima e diretta, in quanto l'io parlante si rivolge a se stesso, al lettore e probabilmente, a Dio. Qui l'amore, benché terreno, è profondamente spirituale. Il "tu" della poesia, che potrebbe essere il "tu" autoreferenziale del parlante così come quello del lettore, è condotto in uno strano pellegrinaggio da una sacerdotessa "mezza matta," "nostra signora del porto," per cercare e trovare l'amore "fra i rifiuti e i fiori," tra eroi caduti e bambini. È lo stesso mondo nel quale Cristo, che appare nella seconda strofa, ha offerto il suo tipo di amore ma è finito sulla sua "solitaria torre di legno," lui stesso "si spezzò / molto prima che il cielo si aprisse / abbandonato, quasi umano." Invece di trovare la resurrezione, affonda "come un sasso, in modo incomprensibile." Affonda, com'è destino per tutti, e raggiunge la vasta comunità degli spiriti. Il mondo rappresentato in "Suzanne" offre la possibilità che il corpo e lo spirito siano ancora una volta uniti, l'uno toccato dall'altro, in un mondo trasformato in cui si possono chiudere gli occhi perché è diventato possibile vedere con l'occhio interiore.

Cohen si è sempre opposto a ogni definizione rigida in termini di professione, religione, orientamento politico e via dicendo, anche se la sua produzione ha affrontato tutti questi ambiti con passione ed efficacia. Si è opposto alla tendenza dei commentatori a classificarlo

passion and insight. He has resisted his commentators' tendency to categorize him as either poet or songwriter – sometimes refusing not only the either/or but also each of these labels. In an interview with Jeffery Brown, he declared that he has never identified himself as a poet, evoking the lines from his poem "Thousands," which clearly spell out the pitfalls associated with such labelling: "Out of the thousands / who are known, / or who want to be known / as poets, / maybe one or two / are genuine / and the rest are fakes... Needless to say, I am one of the fakes, and this is my story." In a later interview with Shelagh Rogers, he similarly refused to be identified as a songwriter, saying that he would "never describe [himself to himself] that way." Leonard Cohen is, needless to say, and however he describes himself, *not* "one of the fakes," but he is in truth something altogether unique.

It might, therefore, also be a mistake to describe Cohen's work or Cohen himself – this inveterate resister of labels – as romantic, as so many critics inevitably have done. I would have liked to stay clear of such definitions myself, yet it is useful to follow the development of Cohen's poetics in terms of a literary tradition that has absorbed a great many features from a Romantic vision of the world – a paradigm that Cohen has found as challenging as he has found the forms of the sonnet, the Spenserian stanza, or the ballad, all of which he has used to great effect. But the past forms cannot be merely copied; they can only be re-imagined and updated, energized by a fresh context. Thus, the overused tropes of the romantic lover and its archetypal counterpart of the *belle dame sans merci* are in Cohen conjugated through numerous variations, which make them simultaneously ancient and contemporary, traditional and yet experimental, just like the notion of love discussed in this introduction. "When you submit yourself to a form," Cohen explained to Shelagh Rogers, "then something happens," and you are "invited to dig deeper into the language and to discard the slogans by which you live; ...you're invited to explore realms that usually you don't get to in ordinary, easy thought." Cohen has certainly dug deep into the literary tradition and language that are his inheritance, and has come up with an extraordinary body of work that is innovative, courageous, intellectually challenging, and of rare beauty and resonance.

"Che non si dica che sono un ubriacone

di volta in volta come poeta o cantautore, talvolta rifiutando non solo l'aut-aut, ma entrambe le singole etichette. In un'intervista rilasciata a Jeffery Brown, ha dichiarato di non essersi mai identificato come poeta, richiamando i versi di "Thousands," che enumerano esplicitamente i tranelli associati a una simile etichetta: "Delle migliaia / Che sono conosciuti, / O che vorrebbero esser conosciuti / Come poeti, / Forse uno o due / Sono veri / E gli altri sono finti… Inutile dirlo / Sono uno di quelli finti, / E questa è la mia storia." In una successiva intervista con Shelagh Rogers, rifiutò di identificarsi come cantautore, dicendo che "non si descriverebbe mai a se stesso in quel modo." Inutile dirlo, in qualunque modo egli si descriva, Leonard Cohen *non è* "uno di quelli finti," ma è vero che nel complesso costituisce un qualcosa di unico.

Potrebbe pertanto essere un errore anche descrivere l'opera di Cohen, l'indefesso nemico delle etichette, come romantica, come tanti critici hanno inevitabilmente fatto. Avrei preferito evitare anch'io queste definizioni, ma è indubbiamente utile seguire l'evoluzione della poetica di Cohen nei termini di una tradizione letteraria che ha fatto propri tanti elementi di una visione del mondo romantica: un paradigma che Cohen ha trovato stimolante, così come ha trovato stimolanti le forme del sonetto, la *stanza* spenseriana o la ballata, tutte soluzioni che ha utilizzato con ottimi risultati. Ma le forme del passato non possono essere semplicemente copiate; possono solo venire riimmaginate e aggiornate, rinforzate da un nuovo contesto. Così, i *tropoi* abusati dell'amante romantico e la sua controparte archetipica della *belle dame sans merci* si ritrovano in Cohen coniugati in numerose variazioni, che li rendono contemporaneamente antichi e moderni, tradizionali eppure sperimentali, proprio come la nozione di amore discussa in questa introduzione. "Quando ti sottometti a una forma," spiega Cohen a Shelagh Rogers, "allora accade qualcosa," e sei "invitato a scavare più a fondo nel linguaggio, e mettere da parte gli slogan di cui vivi; …sei invitato a esplorare regni che non si raggiungono nel pensiero ordinario, facile." Cohen ha certamente scavato a fondo nella tradizione e nel linguaggio letterari che costituiscono il suo retaggio, arrivando a creare un corpus straordinario: innovativo, coraggioso, intellettualmente stimolante, e di rara bellezza e suggestività.

(traduzione di Filippo Mariano)

Leonard Cohen, *Autoritratto (Self-portrait)*.

Leonard Cohen

La solitudine della forza

The Solitude of Strength

Letter

How you murdered your family
means nothing to me
as your mouth moves across my body

And I know your dreams
of crumbling cities and galloping horses
of the sun coming too close
and the night never ending

but these mean nothing to me
beside your body

I know that outside a war is raging
that you issue orders
that babies are smothered and generals beheaded

but blood means nothing to me
it does not disturb your flesh

tasting blood on your tongue
does not shock me
as my arms grow into your hair

Do not think I do not understand
what happens
after the troops have been massacred
and the harlots put to the sword

And I write this only to rob you
that when one morning my head
hangs dripping with the other generals
from your house gate

that all this was anticipated
and so you will know that it meant nothing to me

Lettera

Come hai ucciso la tua famiglia
non significa nulla per me
mentre la tua bocca mi sfiora tutto il corpo

E io conosco i tuoi sogni
di città in rovina e di cavalli al galoppo
del sole che si fa troppo vicino
e della notte che non finisce mai

ma tutto questo non significa nulla per me
oltre il tuo corpo

So che fuori infuria una guerra
che impartisci ordini
che i neonati sono soffocati e i generali decapitati

ma il sangue non significa nulla per me
non disturba la tua carne

il sapore del sangue sulla tua lingua
non mi sconvolge
mentre le mie braccia ti crescono fra i capelli

Non pensare che non capisca
cosa succede
dopo che le truppe sono state massacrate
e le cortigiane passate a fil di spada

E scrivo questo solo per derubarti
cosicché quando un mattino il mio capo
penzolerà sanguinante con gli altri generali
dai cancelli di casa tua

si capisca che tutto ciò era stato previsto
e così saprai che per me non voleva dire nulla

Prayer for Messiah

His blood on my arm is warm as a bird
his heart in my hand is heavy as lead
his eyes through my eyes shine brighter than love
O send out the raven ahead of the dove

His life in my mouth is less than a man
his death on my breast is harder than stone
his eyes through my eyes shine brighter than love
O send out the raven ahead of the dove

O send out the raven ahead of the dove
O sing from your chains where you're chained in a cave
your eyes through my eyes shine brighter than love
your blood in my ballad collapses the grave

O sing from your chains where you're chained in a cave
your eyes through my eyes shine brighter than love
your heart in my hand is heavy as lead
your blood on my arm is warm as a bird

O break from your branches a green branch of love
after the raven has died for the dove

Preghiera per il Messia

Il suo sangue sul mio braccio è caldo come un uccellino
il suo cuore nella mia mano è pesante come il piombo
i suoi occhi attraverso i miei brillano più dell'amore
Oh manda avanti il corvo prima della colomba*

La sua vita sulle mie labbra è sminuita
la sua morte sul mio petto è più dura della pietra
i suoi occhi attraverso i miei brillano più dell'amore
Oh manda avanti il corvo prima della colomba

Oh manda avanti il corvo prima della colomba
Oh canta dalle catene cui sei incatenato in una caverna
i tuoi occhi attraverso i miei brillano più dell'amore
il tuo sangue nella mia ballata annienta il sepolcro

Oh canta dalle catene cui sei incatenato in una caverna
i tuoi occhi attraverso i miei brillano più dell'amore
il tuo cuore nella mia mano è più pesante del piombo
il tuo sangue sul mio braccio e' caldo come un uccellino

Oh strappa dai tuoi rami un verde ramo d'amore
dopo che il corvo è morto per la colomba

* Riferimento alla Genesi 8, versi 5-12.

As the Mist Leaves No Scar

As the mist leaves no scar
On the dark green hill,
So my body leaves no scar
On you, nor ever will.

When wind and hawk encounter,
What remains to keep?
So you and I encounter,
Then turn, then fell to sleep.

As many nights endure
Without a moon or star,
So will we endure
When one is gone and far.

Come la bruma non lascia cicatrici

Come la bruma non lascia cicatrici
Sulla scura verde collina,
Così il mio corpo non lascia cicatrici
Su di te e mai ne lascerà.

Quando il vento e il falco s'incontrano,
Cosa resta da salvare?
Così tu e io ci incontriamo
Poi ci voltiamo, poi cadiamo nel sonno.

Come tante notti resistono
Senza luna o stelle,
Così noi resisteremo
quando uno di noi sarà partito e lontano.

I Have Not Lingered in European Monasteries

I have not lingered in European monasteries
and discovered among the tall grasses tombs of knights
who fell as beautifully as their ballads tell;
I have not parted the grasses
or purposefully left them thatched.

I have not released my mind to wander and wait
in those great distances
between the snowy mountains and the fishermen,
like a moon,
or a shell beneath the moving water.

I have not held my breath
so that I might hear the breathing of G-d,
or tamed my heartbeat with an exercise,
or starved for visions.
Although I have watched him often
I have not become the heron,
leaving my body on the shore,
and I have not become the luminous trout,
leaving my body in the air.

I have not worshipped wounds and relics,
or combs of iron,
or bodies wrapped and burnt in scrolls.

I have not been unhappy for ten thousand years.
During the day I laugh and during the night I sleep.
My favourite cooks prepare my meals,
my body cleans and repairs itself,
and all my work goes well.

Non ho indugiato nei monasteri d'Europa
e scoperto nell'erba alta tombe di cavalieri
caduti gloriosamente come narrano le ballate;
non ho aperto un varco nell'erba
né le ho lasciate volutamente coperte di foglie.

Non ho permesso alla mia mente di vagare libera e attendere
in quelle grandi distanze
fra monti innevati e pescatori,
come luna,
o conchiglia sotto acque increspate.

Non ho trattenuto il fiato
per udire il respiro di D-o,
o domato il battito del cuore con esercizi,
o bramato visioni.
Per quanto lo abbia spesso osservato
non sono divenuto un airone,
lasciando il mio corpo sulla spiaggia,
e non sono divenuto una trota lucente,
lasciando il mio corpo nell'aria.

Non ho venerato piaghe e reliquie,
o pettini di ferro,
o corpi fasciati e arsi in pergamene.

Non sono stato infelice per diecimila anni.
Di giorno rido e di notte dormo.
I miei cuochi preferiti mi preparano i pasti,
il mio corpo si depura e si rigenera,
e il lavoro procede bene.

Elegy

Do not look for him
In brittle mountain streams:
They are too cold for any god;
And do not examine the angry rivers
For shreds of his soft body
Or turn the shore stones for his blood;
But in the warm salt ocean
He is descending through cliffs
Of slow green water
And the hovering coloured fish
Kiss his snow-bruised body
And build their secret nests
In his fluttering winding-sheet.

Elegia

Non cercarlo
Nei vitrei ruscelli di montagna:
Sono troppo freddi per qualsiasi divinità;
E non setacciare i fiumi infuriati
In cerca di brandelli del suo tenero corpo;
Non capovolgere le pietre sulla spiaggia in cerca del suo sangue;
Ma nel caldo oceano salato
Egli scende lungo declivi
Di verdi acque tranquille
E i pesci colorati si librano
Per baciare il suo corpo livido dalla neve
E costruiscono i loro nidi segreti
Nel suo sudario ondeggiante.

You Have the Lovers

You have the lovers,
they are nameless, their histories only for each other,
and you have the room, the bed and the windows.
Pretend it is a ritual.
Unfurl the bed, bury the lovers, blacken the windows,
let them live in that house for a generation or two.
No one dares disturb them.
Visitors in the corridor tiptoe past the long closed door,
they listen for sounds, for a moan, for a song:
nothing is heard, not even breathing.
You know they are not dead,
you can feel the presence of their intense love.
Your children grow up, they leave you,
they have become soldiers and riders.
Your mate dies after a life of service.
Who knows you? Who remembers you?
But in your house a ritual is in progress:
it is not finished: it needs more people.
One day the door is opened to the lovers' chambers.
The room has become a dense garden,
full of colours, smells, sounds you have never known.
The bed is smooth as a wafer of sunlight,
in the midst of the garden it stands alone.
In the bed the lovers, slowly and deliberately and silently,
perform the act of love.
Their eyes are closed,
as tightly as if heavy coins of flesh lay on them.
Their lips are bruised with new and old bruises.
Her hair and his beard are hopelessly tangled.
When he puts his mouth against her shoulder
she is uncertain whether her shoulder
has given or received the kiss.
All her flesh is like a mouth.
He carries his fingers along her waist
and feels his own waist caressed.

Ecco gli amanti

Ecco gli amanti,
non hanno nome, hanno storie solo gli uni per gli altri,
ed ecco la stanza, il letto, e le finestre.
Fingi che sia un rito.
Dispiega il letto, sotterra gli amanti, oscura le finestre,
lascia che vivano in quella casa per una o due generazioni.
Nessuno osa disturbarli.
Ospiti in corridorio passano furtivi accanto alla porta a lungo chiusa,
provano a carpire un suono, un gemito, un canto:
non si ode nulla, nemmeno un respiro.
Sai che non sono morti,
avverti la presenza del loro intenso amore.
I figli crescono, ti lasciano,
sono diventati soldati e cavalieri.
Il tuo compagno muore dopo una vita di servizio.
Chi ti conosce? Chi ti ricorda?
Ma a casa tua è in corso un rituale:
non è finito: servono più persone.
Un giorno viene aperta la porta della camera degli amanti.
La stanza è diventata un folto giardino,
pieno di colori, odori, suoni a te ignoti.
Il letto è liscio come ostia di luce solare,
e sta solo nel mezzo del giardino.
Nel letto gli amanti lentamente, volutamente, in silenzio
compiono l'atto d'amore.
Tengono gli occhi chiusi, stretti,
come gravati da pesanti monete di carne.
Hanno le labbra livide, di lividi antichi e nuovi.
I capelli di lei, la barba di lui sono irrimediabilmente intrecciati.
Quando lui le posa le labbra sulla spalla
lei non sa se la sua spalla abbia dato o ricevuto il bacio.
Tutta la sua carne è come una bocca.
Lui le accarezza i fianchi con le dita
E avverte una carezza sui propri.
Lei lo stringe a sé e lui la avvolge in un abbraccio.

She holds him closer and his own arms tighten around her.
She kisses the hand beside her mouth.
It is his hand or her hand, it hardly matters,
there are so many more kisses.
You stand beside the bed, weeping with happiness,
you carefully peel away the sheets
from the slow-moving bodies.
Your eyes are filled with tears, you barely make out the lovers.
As you undress you sing out, and your voice is magnificent
because now you believe it is the first human voice
heard in that room.
The garments you let fall grow into vines.
You climb into bed and recover the flesh.
You close your eyes and allow them to be sewn shut.
You create an embrace and fall into it.
There is only one moment of pain or doubt
as you wonder how many multitudes are lying beside your body,
but a mouth kisses and a hand soothes the moment away.

Lei bacia la mano che le si avvicina alla bocca,
mano di lei o di lui, poco importa,
ci sono tanti altri baci.
Stai in piedi accanto al letto, piangendo di felicità,
sfili con cura le lenzuola
dai corpi che lenti si muovono.
Con gli occhi pieni di lacrime a stento distingui gli amanti.
Mentre ti spogli canti, e la tua voce è magnifica
perché ora sei certo che sia la prima voce umana
mai udita in quella stanza.
Le vesti che lasci cadere si trasformano in vitigni.
Sali sul letto e ritrovi la carne.
Chiudi gli occhi e te li lasci cucire a filo doppio.
Crei un abbraccio e ti ci lasci cadere.
C'è solo un momento di dolore o di dubbio
quando ti chiedi quante moltitudini ti giacciano accanto,
ma una bocca bacia e una carezza lenisce l'attimo.

Song for Abraham Klein

The weary psalmist paused
His instrument beside.
Departed was the Sabbath
And the Sabbath Bride.

The table was decayed,
The candles black and cold.
The bread he sang so beautifully,
That bread was mould.

He turned toward his lute,
Trembling in the night.
He thought he knew no music
To make the morning right.

Abandoned was the Law,
Abandoned the King.
Unaware he took his instrument,
His habit was to sing.

He sang and nothing changed
Though many heard the song.
But soon his face was beautiful
And soon his limbs were strong.

Canto per Abraham Klein

Lo stanco salmista fece una pausa
Lo strumento al suo fianco.
Svaniti il Sabbath
E la Sposa del Sabbath.

Il tavolo era fatiscente
Le candele nere e fredde.
Il pane che aveva cantato con tanta bellezza,
Quel pane era ammuffito.

Si girò verso il liuto,
Tremando nella notte.
Pensava di non conoscer musica
Adatta a quel mattino.

Abbandonata era la Legge,
Abbandonato il Re.
Inavvertitamente prese lo strumento,
Era sua abitudine cantare.

Cantò e nulla cambiò
Sebbene in molti avessero udito quella canzone.
Ma presto il suo volto si fece bello
E presto le sue membra si fecero forti.

My Lady Can Sleep

My lady can sleep
Upon a handkerchief
Or if it be Fall
Upon a fallen leaf.

I have seen the hunters
Kneel before her hem –
Even in her sleep
She turns away from them.

The only gift they offer
Is their abiding grief –
I pull out my pockets
For a handkerchief or leaf.

La mia donna può dormire

La mia donna può dormire
Su un fazzoletto
O se è autunno
Su una foglia caduta.

Ho visto i cacciatori
Inginocchiarsi davanti all'orlo della sua veste –
Anche nel sonno
Lei si scosta da loro.

L'unico dono che offrono
È la loro persistente miseria –
Ed io mi svuoto le tasche
Per cercare un fazzoletto o una foglia.

A Kite Is a Victim

A kite is a victim you are sure of.
You love it because it pulls
gentle enough to call you master,
strong enough to call you fool;
because it lives
like a trained falcon
in the high sweet air,
and you can always haul it down
to tame it in your drawer.

A kite is a fish you have already caught
in a pool where no fish come,
so you play him carefully and long,
and hope he won't give up,
or the wind die down.

A kite is the last poem you've written,
so you give it to the wind,
but you don't let it go
until someone finds you
something else to do.

A kite is a contract of glory
that must be made with the sun,
so you make friends with the field
the river and the wind,
then you pray the whole cold night before,
under the travelling cordless moon,
to make you worthy and lyric and pure.

Un aquilone è una vittima

Un aquilone è una vittima di cui ti puoi fidare.
Lo ami perché tira in modo
abbastanza delicato da chiamarti padrone,
abbastanza forte da chiamarti sciocco;
perché vive
come un falco ammaestrato
in alto nell'aria dolce,
e tu lo puoi sempre tirare giù
e addomesticarlo nel cassetto.

Un aquilone è un pesce che hai già preso
in uno specchio d'acqua dove non si trovano pesci,
così lo manovri con cura e a lungo,
e speri che non ceda
o che il vento non cali.

Un aquilone è l'ultima poesia che hai scritto,
così la consegni al vento,
ma non la lasci andare
finché qualcuno non ti trovi
qualcos'altro da fare.

Un aquilone è un contratto di gloria
che deve essere stilato con il sole,
così ti fai amici il prato
il fiume e il vento,
poi preghi l'intera notte al freddo,
sotto la luna errante senza fili,
di renderti degno e lirico e puro.

Hitler

Now let him go to sleep with history,
the real skeleton stinking of gasoline,
the Mutt-and-Jeff henchmen beside him:
let them sleep among our precious poppies.

Cadres of SS waken in our minds
where they began before we ransomed them
to that actual empty realm we people
with the shadows that disturb our inward peace.

For a while we resist the silver-black cars
rolling in slow parade through the brain.
We stuff the microphones with old chaotic flowers
from a bed which rapidly exhausts itself.

Never mind. They turn up as poppies
beside the tombs and libraries of the real world.
The leader's vast design, the tilt of his chin
seem excessively familiar to minds at peace.

Hitler

Lascia che ora si addormenti con la storia,
il suo vero scheletro che puzza di benzina,
gli scagnozzi da caricatura accanto a lui:
che dormano fra i nostri preziosi papaveri.

Squadre di SS si destano nelle nostre menti
dove cominciarono prima che li riscattassimo
a quel vero regno vuoto che popoliamo
con le ombre che turbano la nostra pace interiore.

Per un po' opponiamo resistenza alle auto nere argento
che sfilano in lento corteo attraverso il nostro cervello.
Imbottiamo i microfoni di fiori avvizziti colti a caso
da un'aiuola che rapidamente si esaurisce.

Non importa. Si trasformano in papaveri
accanto alle tombe e alle biblioteche del mondo reale.
Il vasto disegno del condottiero, il piglio del mento
appaiono eccessivamente familiari a chi ha l'animo in pace.

Hydra 1960

Anything that moves is white,
a gull, a wave, a sail,
and moves too purely to be aped.
Smash the pain.

Never pretend peace.
The consolumentum has not,
never will be kissed. Pain
cannot compromise this light.

Do violence to the pain,
ruin the easy vision,
the easy warning, water
for those who need to burn.

These are ruthless: rooster shriek,
bleached goat skull.
Scalpels grow with poppies
if you see them truly red.

Idra 1960

Tutto ciò che si muove è bianco,
il gabbiano, l'onda, la vela,
e si muove con troppa purezza per essere imitato.
Annienta il dolore.

Non pretendere la pace.
Nessuno ha mai ricevuto
né riceverà il bacio della pace. Il dolore
non può compromettere la luce.

Fà violenza al dolore,
distruggi la facile visione,
il facile monito, acqua
per chi ha bisogno di bruciare.

Sono spietati: lo stridìo del gallo,
il cranio sbiancato di una capra.
I bisturi crescono con i papaveri
se vedi come sono veramente rossi.

Queen Victoria and Me

Queen Victoria
my father and all his tobacco loved you
I love you too in all your forms
the slim unlovely virgin anyone would lay
the white figure floating among German beards
the mean governess of the huge pink maps
the solitary mourner of a prince
Queen Victoria
I am cold and rainy
I am dirty as a glass roof in a train station
I feel like an empty cast-iron exhibition
I want ornaments on everything
because my love she gone with other boys
Queen Victoria
do you have a punishment under the white lace
will you be short with her
and make her read little Bibles
will you spank her with a mechanical corset
I want her pure as power
I want her skin slightly musty with petticoats
will you wash the easy bidets out of her head
Queen Victoria
I'm not much nourished by modern love
Will you come into my life
with your sorrow and your black carriages
and your perfect memory
Queen Victory
The 20th century belongs to you and me
Let us be two severe giants
(not less lonely for our partnership)
who discolour test tubes in the halls of science
who turn up unwelcome at every World's Fair
heavy with proverb and correction
confusing the star-dazed tourists
with our incomparable sense of loss

La regina Vittoria ed io

Regina Vittoria
mio padre e tutto il suo tabacco ti amavano
ti amo anch'io in tutte le tue forme
l'esile vergine sgraziata che tutti si vorrebbero fare
la bianca figura fluttuante tra barbe tedesche
la severa governante dalle enormi mappe rosa
la solitaria che piange la morte di un principe
Regina Vittoria
sono freddo e piovoso,
sono sporco come la pensilina di vetro in una stazione ferroviaria
mi sento come un'arcata di ferro vuota
voglio ornamenti su tutto
perché la mia amata è andata con altri ragazzi
Regina Vittoria
nascondi forse un cilicio sotto il pizzo bianco
sarai dura con lei
le farai leggere piccole Bibbie
la affliggerai con un corsetto meccanico
La voglio pura come il potere
Voglio che la sua pelle odori di sottane
le toglierai dalla testa i facili bidè
Regina Vittoria
l'amore moderno non mi nutre un gran che
Entrerai nella mia vita
col tuo dolore e le tue carrozze nere
e la tua perfetta memoria
Regina Vittoria
Il XX secolo appartiene a te e a me
Dobbiamo essere due severi giganti
(ma alleati non meno solitari)
che scolorano provette nei santuari della scienza
e indesiderati presenziano ad ogni Esposizione Universale
pesanti di proverbi e di rimproveri
confondendo i turisti ammaliati dalle stelle
con l'incomparabile sensazione di avere perso

On Hearing a Name Long Unspoken

Listen to the stories
men tell of last year
that sound of other places
though they happened here

Listen to a name
so private it can burn
hear it said aloud
and learn and learn

History is a needle
for putting men asleep
anointed with the poison
of all they want to keep

Now a name that saved you
has a foreign taste
claims a foreign body
froze in last year's waste

And what is living lingers
while monuments are built
then yields its final whisper
to letters raised in gilt

But cries of stifled ripeness
whip me to my knees
I am with the falling snow
falling in the seas

I am with the hunters
hungry and shrewd
and I am with the hunted
quick and soft and nude

Nel sentire un nome a lungo taciuto

Ascolta le storie
che gli uomini raccontano dello scorso anno
sembrano riferirsi ad altri luoghi
sebbene siano successe qui

Ascolta un nome
così segreto che può bruciare
sentilo pronunciare ad alta voce
e impara e impara

La storia è un ago
per far addormentare gli uomini
consacrato con il veleno
di quel che vogliono conservare

Ora un nome che ti ha salvato
ha un gusto straniero
reclama un corpo straniero
congelatosi nelle scorie dello scorso anno

Ciò che vive resiste
mentre si erigono monumenti
poi esala l'ultimo respiro
a lettere d'oro in rilievo

Ma grida di maturità stroncata
mi sferzano lasciandomi in ginocchio
io con la neve che cade
cado nei mari

Sono con i cacciatori
famelico e astuto
e sono con i cacciati
rapido e inerme e ignudo

I am with the houses
that wash away in rain
and leave no teeth of pillars
to rake them up again

Let men numb names
scratch winds that blow
listen to the stories
but what you know you know

And knowing is enough
for mountains such as these
where nothing long remains
houses walls or trees

sono con le case
trascinate via dalla pioggia
senza lasciare denti di pilastro
per ricomporle

Gli uomini anestetizzino pure i nomi
Scalfiscano i venti incalzanti
Ascoltino storie
Ma quel che si sa si sa

E basta il sapere
Per montagne come queste
Dove nulla rimane a lungo
Case muri o alberi

Nothing I Can Lose

When I left my father's house
the sun was halfway up,
my father held it to my chin
like a buttercup.

My father was a snake-oil man
a wizard, trickster, liar,
but this was his best trick,
we kissed goodbye in fire.

A mile above Niagara Falls
a dove gave me the news
of his death. I didn't miss a step,
there's nothing I can lose.

Tomorrow I'll invent a trick
I do not know tonight,
the wind, the pole will tell me what
and the friendly blinding light.

Niente da perdere

Quando ho lasciato la casa di mio padre
il sole era sorto a metà,
mio padre me lo appuntava al mento
come un botton d'oro.

Mio padre era un imbonitore
un mago, prestigiatore, bugiardo,
ma questo è stato il suo trucco migliore,
e nel fuoco ci siamo dati un bacio d'addio.

Un miglio sopra Niagara Falls
una colomba mi ha dato la notizia
della sua morte. Non ho battuto ciglio
non ho niente da perdere.

Domani m'inventerò un trucco
che stasera non so,
il vento, l'asta del funambulo me lo diranno
e l'accecante luce amica.

For E.J.P.

I once believed a single line
　　in a Chinese poem could change
　　　forever how blossoms fell
and that the moon itself climbed on
　　the grief of concise weeping men
　　　to journey over cups of wine
I thought invasions were begun for crows
　　to pick at a skeleton
　　　dynasties sown and spent
to serve the language of a fine lament
　　I thought governors ended their lives
　　　as sweetly drunken monks
telling time by rain and candles
　　instructed by an insect's pilgrimage
　　　across the page – all this
so one might send an exile's perfect letter
to an ancient hometown friend

I chose a lonely country
　　broke from love
　　　scorned the fraternity of war
I polished my tongue against the pumice moon
　　floated my soul in cherry wine
　　　a perfumed barge for Lords of Memory
to languish on to drink to whisper out
　　their store of strength
　　　as if beyond the mist along the shore
their girls their power still obeyed
　　like clocks wound for a thousand years
　　　I waited until my tongue was sore
Brown petals wind like fire around my poems
　　I aimed them at the stars but
　　　like rainbows they were bent
before they sawed the world in half
　　Who can trace the canyoned paths

Per E.J.P.

Un tempo credevo che un singolo verso
   di una poesia cinese potesse mutare
      per sempre il modo in cui cadevano i petali
e che la luna stessa crescesse
   con il dolore di uomini di poche parole in lacrime
      per compiere il suo corso su coppe di vino
pensavo che si desse inizio alle invasioni per dare ai corvi
uno scheletro da piluccare
   dinastie iniziate e consunte
per servire il linguaggio di un fine lamento
   pensavo che i governanti concludessero la loro esistenza
      come monaci dolcemente ebbri
che misuravano il tempo con la pioggia e le candele
   istruiti dal peregrinare di un insetto
      attraverso la pagina – tutto questo
così che si potesse mandare una perfetta lettera dall'esilio
ad un vecchio amico della stessa città

Ho scelto un paese solitario
   ho rotto con l'amore
      ho disprezzato la confraternita della guerra
mi sono affinato la lingua contro la luna di pomice
   risollevata l'anima nel vino di ciliegia
      una chiatta profumata per i Signori della Memoria
per continuare a struggersi e bere fino all'ultimo sospiro
   la loro scorta di forze
      come se al di là della bruma lungo la spiaggia
le ragazze obbedissero ancora al loro potere
   come orologi caricati per mille anni
      ho atteso fino ad aver male alla lingua.
Petali scuri volteggiano come fuoco attorno alle mie poesie
   le ho rivolte alle stelle ma
      come arcobaleni si sono incurvate
prima di tagliare il mondo a metà
   chi può rintracciare i sentieri nei calanchi

cattle have carved out of time
wandering from meadowlands to feasts
Layer after layer of autumn leaves
are swept away
Something forgets us perfectly

che il bestiame ha tracciato solcando il tempo
vagando dai campi ai pascoli
strato dopo strato, foglie d'autunno
vengono spazzate via
C'è qualcosa che ci dimentica completamente

One Night I Burned

One night I burned the house I loved,
It lit a perfect ring
In which I saw some weeds and stone
Beyond – not anything.

Certain creatures of the air
Frightened by the night,
They came to see the world again
And perished in the light.

Now I sail from sky to sky
And all the blackness sings
Against the boat that I have made
Of mutilated wings.

1960

Una notte ho appiccato il fuoco

Una notte ho appiccato il fuoco alla casa che amavo,
Si è illuminata in un cerchio perfetto
In cui vidi erbacce e pietra
Al di là, nulla.

Certe creature dell'aria
Spaventate dalla notte,
Vennero a vedere nuovamente il mondo
E perirono nella luce.

Ora veleggio di cielo in cielo
E tutta l'oscurità canta
Contro l'imbarcazione che ho costruito
Di ali mozzate.

1960

Fingerprints

Give me back my fingerprints
My fingertips are raw
If I don't get my fingerprints
I have to call the Law

I touched you once too often
& I don't know who I am
My fingerprints were missing
When I wiped away the jam

I called my fingerprints all night
But they don't seem to care
The last time that I saw them
They were leafing thru your hair

I thought I'd leave this morning
So I emptied out your drawer
A hundred thousand fingerprints
Floated to the floor

You hardly stooped to pick them up
You don't count what you lose
You don't even seem to know
Whose fingerprints are whose

When I had to say goodbye
You weren't there to find
You took my fingerprints away
So I would love your mind

I don't pretend to understand
Just what you mean by that
But next time I'll inquire
Before I scratch your back

Impronte digitali

Ridammi le mie impronte
Ho le punte delle dita scorticate
Se non mi riprendo le impronte
Devo chiamare la Giustizia

Ti ho toccato troppo spesso
& non so più chi sono
Le mie impronte erano svanite
quando mi son tolto di dosso la melassa

Ho chiamato le impronte tutta la notte
Ma non sembrano interessate
L'ultima volta che le ho viste
Ti arruffavano i capelli

Pensavo di partire questa mattina
Così ho svuotato il tuo cassetto
Centinaia di migliaia di impronte
Hanno inondato il pavimento

Tu non ti sei quasi neanche piegata a raccoglierle
Tu non badi a quel che perdi
Tu forse non lo sai
Di chi sono queste o quelle impronte

Quando dovevo dirti addio
Non sono riuscito a trovarti
Ti sei portata via le mie impronte
Perché amassi la tua mente

Non fingo di capire
Cosa intendi dire
Ma la prossima volta mi informo
Prima di grattarti la schiena

I wonder if my fingerprints
Get lonely in the crowd
There are no others like them
& that should make them proud

But now you want to marry me
& take me down the aisle
& throw confetti fingerprints
You know that's not my style

Sure I'd like to marry
But I won't face the dawn
With any girl who knew me
When my fingerprints were on

Mi chiedo se le mie impronte
Si sentano sole tra la folla
Non ce ne sono altre come loro
& dovrebbero esserne orgogliose

Ma ora vuoi sposarmi
& portarmi all'altare
& gettare impronte a mo' di coriandoli
Lo sai che non è il mio stile

Certo vorrei sposarmi
Ma non voglio affrontare l'alba
Con una ragazza che mi conosceva
Quando ancora avevo le mie impronte

Suzanne

Suzanne takes you down
to her place near the river
you can hear the boats go by
you can spend the night beside her
And you know that she's half crazy
but that's why you want to be there
and she feeds you tea and oranges
that come all the way from China
And just when you mean to tell her
that you have no love to give her
she gets you on her wavelength
and she lets the river answer
that you've always been her lover
    And you want to travel with her
    you want to travel blind
    and you know that she can trust you
    for you've touched her perfect body
    with your mind

And Jesus was a sailor
when he walked upon the water
and he spent a long time watching
from his lonely wooden tower
and when he knew for certain
only drowning men could see him
he said All men will be sailors then
until the sea shall free them
but he himself was broken
long before the sky would open
forsaken, almost human
he sank beneath your wisdom like a stone
    And you want to travel with him
    you want to travel blind
    and you think maybe you'll trust him

Suzanne

Suzanne ti conduce
da lei vicino al fiume
puoi udire le barche passare
puoi trascorrere la notte accanto a lei
E tu sai che è mezza matta
e per questo ci vuoi andare
e lei ti offre tè e arance
che vengono dalla lontana Cina
E proprio quando pensi di dirle
che non hai amore da darle
ti porta sulla sua lunghezza d'onda
e lascia che il fiume risponda
che sei sempre stato il suo amante
E tu vuoi viaggiare con lei
vuoi viaggiare a occhi chiusi
e sai che di te si può fidare
perché hai toccato con la mente
il suo corpo perfetto

E Gesù era un marinaio
quando camminava sull'acqua
e passò molto tempo a guardare
dalla sua solitaria torre di legno
e quando si rese conto che
solo gli uomini che stavano annegando potevano vederlo
disse Tutti gli uomini allora saranno marinai
finché il mare non li avrà liberati
ma lui stesso si spezzò
molto prima che il cielo si aprisse
abbandonato, quasi umano
affondò come un sasso in modo incomprensibile
E tu vuoi viaggiare con lui
vuoi viaggiare a occhi chiusi

for he's touched your perfect body
with his mind

Now Suzanne takes your hand
and she leads you to the river
she is wearing rags and feathers
from Salvation Army counters
And the sun pours down like honey
on our lady of the harbour
And she shows you where to look
among the garbage and the flowers
There are heroes in the seaweed
there are children in the morning
they are leaning out for love
they will lean that way forever
while Suzanne holds the mirror
> *And you want to travel with her*
> *you want to travel blind*
> *and you know that you can trust her*
> *for she's touched your perfect body*
> *with her mind*

e pensi che forse di lui ti puoi fidare
perché con la mente ha toccato
il tuo corpo perfetto

Ora Suzanne ti prende per mano
e ti porta al fiume
indossa cenci e piume
dai banchi dell'Esercito della Salvezza
E il sole si riversa come miele
sulla nostra signora del porto
E lei ti mostra dove guardare
fra i rifiuti e i fiori
Ci sono eroi fra le alghe marine
ci sono bambini nel mattino
si protendono in cerca d'amore
si protenderanno così per sempre
mentre Suzanne regge lo specchio
      E tu vuoi viaggiare con lei
      vuoi viaggiare a occhi chiusi
      e sai che di lei ti puoi fidare
      perché con la mente ha toccato
      il tuo corpo perfetto

So Long, Marianne

Come over to the window, my little darling
I'd like to try to read your palm
I used to think I was some kind of gypsy boy
before I let you take me home

So long, Marianne
it's time that we began
to laugh and cry and cry and laugh
about it all again

You know I love to live with you
but you make me forget so very much
I forget to pray for the angels
and then the angels forget to pray for us

We met when we were almost young
down by the green lilac park
You held on to me like I was a crucifix
as we went kneeling through the dark

Your letters they all say that you're beside me now.
Then why do I feel so alone
I'm standing on this ledge and your fine spider web
is fastening my ankle to a stone

Now I need your hidden love
I'm cold as a new razor blade
You left when I told you I was curious
I never said that I was brave

O you are really such a pretty one
I see you've gone and changed your name again
And just when I climbed this whole mountainside
to wash my eyelids in the rain

Addio Marianne

Vieni alla finestra, mia piccola cara
vorrei provare a leggerti la mano
una volta pensavo di essere una specie di zingarello
prima che ti lasciassi portarmi a casa

Addio, Marianne
è ora di incominciare
a ridere e piangere e piangere e ridere
su tutto ancora

Sai che amo vivere con te
ma mi fai dimenticare così tante cose
che dimentico di pregare per gli angeli
e poi gli angeli dimenticano di pregare per noi

Ci siamo incontrati quando eravamo quasi ragazzi
laggiù nel verde del parco dei lillà
ti stringevi a me quasi fossi un crocifisso
mentre strisciavamo carponi nel buio

Tutte le tue lettere dicono che ora mi sei vicina.
Perché allora mi sento così solo
mi trovo su questo ciglio e la tua fine ragnatela
mi sta fissando la caviglia ad una pietra

Ora ho bisogno del tuo amore segreto
sono gelido come una lucente lama di rasoio
Te ne sei andata quando ti dissi che ero curioso
non ho mai detto di essere coraggioso

Sei davvero molto carina
vedo che te ne sei andata e ti sei cambiata di nuovo il nome
E proprio mentre scalavo l' intero fianco della montagna
per lavare nella pioggia le mie palpebre

Your eyes, I forget your eyes
Your body is at home in every sea
How come you gave your news to everyone
when you said it was a secret just for me

So long, Marianne
it's time that we began
to laugh and cry and cry and laugh
about it all again

I tuoi occhi, dimentico i tuoi occhi
Il tuo corpo è di casa in ogni mare
Come mai hai dato tue notizie a tutti
quando dicevi che era un segreto solo per me

Addio, Marianne
è ora di incominciare
a ridere e piangere e piangere e ridere
su tutto ancora

Sisters of Mercy

All the Sisters of Mercy
they are not departed or gone
They were waiting for me
when I thought that I just can't go on
And they brought me their comfort
and later they brought me this song
Oh I hope you run into them
you who've been travelling so long

You who must leave everything
that you cannot control
It begins with your family
but soon it comes round to your soul
I've been where you're hanging
I think I can see where you're pinned
When you're not feeling holy
your loneliness tells you you've sinned

They lay down beside me
I made my confession to them
They touched both my eyes
and I touched the dew on their hem
If your life is a leaf
that the seasons tear off and condemn
they will bind you with love
that is graceful and green as a stem

When I left they were sleeping
I hope you run into them soon
Don't turn on the light
You can read their address by the moon
And you won't make me jealous
if I hear that they sweetened your night
We weren't lovers like that
and besides it would still be all right

Sorelle della Misericordia

Tutte le Sorelle della Misericordia
non sono partite o andate
Mi stavano aspettando
quando pensavo di non riuscire più a tirare avanti
E mi portarono il loro conforto
e poi mi portarono questo canto
Oh spero che vi imbattiate in loro
voi che avete viaggiato così tanto

Voi che dovete abbandonare tutto
quello che non potete controllare
comincia dalla famiglia
ma ben presto arriva all'anima
Sono stato ora dove vi aggirate
Penso di sapere dove vi fissate
Quando non vi sentite santi
la solitudine vi dice che avete peccato

Si coricarono accanto a me
Io con loro mi confessai
Mi sfiorarono entrambi gli occhi
ed io sfiorai la rugiada sull'orlo delle loro vesti
Se la vostra vita è una foglia
che le stagioni strappano e condannano
vi fasceranno d'amore
leggiadro e verde come uno stelo

Quando partii stavano dormendo
Spero che le incontriate presto
Non accendete la luce
Potete leggere il loro indirizzo al chiar di luna
E non sarò geloso
Se verrò a sapere che vi hanno reso dolce la notte
Non eravamo amanti in quel senso
e comunque andrebbe bene lo stesso

The Stranger Song

It's true that all the men you knew were dealers who said they were through with dealing every time you gave them shelter. I know that kind of man. It's hard to hold the hand of anyone who's reaching for the sky just to surrender.

And sweeping up the jokers that he left behind you'll find he did not leave you very much not even laughter. Like any dealer he was watching for the card that is so high and wild he'll never need to deal another. He was just some Joseph looking for a manger.

And then leaning on your window-sill he'll say one day you caused his will to weaken with your love and warmth and shelter. And taking from his wallet an old schedule of trains, he'll say, I told you when I came I was a stranger.

But now another stranger seems to want you to ignore his dreams, as though they were the burden of some other. You've seen that man before, his golden arm dispatching cards, but now it's rusted from the elbow to the finger. And he wants to trade the game he plays for shelter. He wants to trade the game he knows for shelter.

You hate to watch another tired man lay down his hand, like he was giving up the Holy Game of Poker. And while he talks his dreams to sleep, you notice there's a highway that is curling up like smoke above his shoulder.

You tell him to come in, sit down, but something makes you turn around. The door is open. You cannot close your shelter. You try the handle of the road. It opens. Do not be afraid. It's you, my love, it's you who are the stranger.

I've been waiting. I was sure we'd meet between the trains we're waiting for, I think it's time to board another. Please understand I never had a secret chart to get me to the heart of this, or any other matter. Well, he talks like this, you don't know what he's after. When he speaks like this, you don't care what he's after.

La canzone dello straniero

È vero, tutti gli uomini che conoscevi facevano il banco e ogni volta che offrivi loro un riparo dicevano che ne avevano abbastanza di fare il banco. Conosco quel tipo d'uomo. È difficile stringere la mano a qualcuno che cerca di arrivare al cielo solo per arrendersi.

E raccattando i jolly che si è lasciato dietro scoprirai che non ti ha lasciato molto, nemmeno una risata. Come ogni banco, lui aspettava la carta così alta e così matta da non aver più bisogno di girarne un'altra. Era solo un altro Giuseppe in cerca di una mangiatoia.

E poi appoggiandosi al tuo davanzale dirà che una volta hai fiaccato la sua volontà con il tuo amore, calore e riparo. Ed estraendo dal portafoglio un vecchio orario ferroviario, dirà Te lo dissi al mio arrivo che ero uno straniero.

Ma ora un altro straniero sembra voglia farti ignorare i suoi sogni, come se fossero il fardello di qualcun altro. L'hai già visto quell'uomo, il suo braccio d'oro distribuiva le carte, ma ora è arrugginito dal gomito alle dita. E vuole barattare il gioco che sta facendo con un riparo. Vuole barattare il gioco che conosce con un riparo.

Non sopporti di stare a guardare un altro uomo che stanco abbassa la mano, come se volesse rinunciare al Sacro Gioco del Poker. E mentre a forza di parlare mette a dormire i suoi sogni, noti che dalla sua spalla si inerpica un'autostrada come in spire di fumo.

Gli dici di entrare, sederti, ma qualcosa ti fa voltare. La porta è aperta. Non puoi chiudere il tuo riparo. Provi la maniglia della strada. Si apre, non aver paura. Sei tu, amore mio, sei tu la straniera.

Ho atteso, ero certo che ci saremmo incontrati tra i treni che stavamo aspettando, penso sia ora di prenderne un altro. Ti prego di capire, non ho mai avuto uno schema segreto che mi portasse al cuore di questa, o di un'altra faccenda. Beh, quando lui parla così, non si capisce dove voglia parare. Quando parla così, non ti importa che cosa voglia.

Let's meet tomorrow if you choose, upon the shore, beneath the bridge, that they are building on some endless river. Then he leaves the platform for the sleeping car that's warm, you realize, he's only advertising one more shelter. And it comes to you, he never was a stranger. And you say, "OK, the bridge, or someplace later."

And then sweeping up the jokers that he left behind, you find he did not leave you very much, not even laughter, like any dealer he was watching for the card that is so high and wild he'll never need to deal another. He was just some Joseph looking for a manger.

And leaning on your window-sill, he'll say one day you caused his will to weaken with your love and warmth and shelter. And then taking from his wallet an old schedule of trains he'll say, I told you when I came I was a stranger.

Incontriamooci domani, se ti va, sulla spiaggia, sotto il ponte, che stanno costruendo su un interminabile fiume. Poi lui lascia la banchina per il calore del vagone letto, tu ti rendi conto che sta solo pubblicizzando l'ennesimo riparo. E ti viene in mente che lui non è mai stato uno straniero. E dici: "Vada per il ponte, o più tardi da qualche altra parte."

E poi raccattando i jolly che si è lasciato dietro, scoprirai che non ti ha lasciato molto, nemmeno una risata. Come ogni banco lui aspettava la carta così alta e così matta da non aver più bisogno di girarne un'altra. Era solo un altro Giuseppe in cerca di una mangiatoia.

E appoggiandosi al tuo davanzale, dirà che un giorno hai fiaccato la sua volontà con il tuo amore, calore e riparo. Ed estraendo dal portafoglio un vecchio orario ferroviario dirà, Te lo dissi al mio arrivo che ero uno straniero.

This Is for You

This is for you
it is my full heart
it is the book I meant to read you
when we were old
Now I am a shadow
I am restless as an empire
You are the woman
who released me
I saw you watching the moon
you did not hesitate
to love me with it
I saw you honouring the windflowers
caught in the rocks
you loved me with them
On the smooth sand
between pebbles and shoreline
you welcomed me into the circle
more than a guest
All this happened
in the truth of time
in the truth of flesh
I saw you with a child
you brought me to his perfume
and his visions
without demand of blood
On so many wooden tables
adorned with food and candles
a thousand sacraments
which you carried in your basket
I visited my clay
I visited my birth
until I became small enough
and frightened enough
to be born again
I wanted you for your beauty

Questo è per te

Questo è per te
è tutto il mio cuore
è il libro che intendevo leggerti
quando saremmo diventati vecchi
Io ora sono un'ombra
sono irrequieto come un impero
Tu sei la donna
che mi ha liberato
ti ho visto guardare la luna
non hai esitato
ad amarmi con lei
ti ho visto rendere omaggio agli anemoni
sorpresi fra le rocce
mi hai amato con loro
Sulla soffice sabbia
fra i ciottoli e la riva
mi hai accolto nel cerchio
ancor più che un ospite
Tutto ciò è avvenuto
nella verità del tempo
nella verità della carne
ti ho visto con un bambino
mi hai condotto al suo profumo
e alle sue visioni
senza bisogno del sangue
Su così tanti tavoli di legno
adorni di vivande e candele
migliaia di sacramenti
che portavi nel cesto
sono tornato alla mia argilla
sono tornato alla mia nascita
finché sono diventato abbastanza piccolo
e abbastanza impaurito
da nascere nuovamente
ti volevo per la tua bellezza

you gave me more than yourself
you shared your beauty
This I only learned tonight
as I recall the mirrors
you walked away from
after you had given them
whatever they claimed
for my initiation
Now I am a shadow
I long for the boundaries
of my wandering
and I move
with the energy of your prayer
and I move
in the direction of your prayer
for you are kneeling
like a bouquet
in a cave of bone
behind my forehead
and I move toward a love
you have dreamed for me

tu mi hai dato più di te stessa
hai condiviso la tua bellezza
Questo l'ho imparato solo stasera
mentre ricordo gli specchi
da cui ti sei allontanata
dopo aver dato loro
ciò che esigevano
per la mia iniziazione
Ora sono un'ombra
anelo agli estremi confini
del mio peregrinare
e mi muovo
con l'energia della tua preghiera
e mi muovo
nella direzione della tua preghiera
perché sei inginocchiata
come un mazzo di fiori
in una caverna d'osso
dietro alla mia fronte
e mi protendo verso un amore
che hai sognato per me

You Live Like a God

You live like a god
somewhere behind the names
I have for you,
your body made of nets
my shadow's tangled in,
your voice perfect and imperfect
like oracle petals
in a herd of daisies.
You honour your own god
with mist and avalanche
but all I have
is your religion of no promises
and monuments falling
like stars on a field
where you said you never slept.
Shaping your fingernails
with a razor blade
and reading the work
like a Book of Proverbs
no man will write for you,
a discarded membrane
of the voice you use
to wrap your silence in
drifts down the gravity between us,
and some machinery
of our daily life
prints an ordinary question in it
like the Lord's Prayer raised
on a rollered penny.
Even before I begin to answer you
I know you won't be listening.
We're together in a room,
it's an evening in October,
no one is writing our history.
Whoever holds us here in the midst of a Law,

Vivi come un Dio

Vivi come un dio
in qualche luogo dietro ai nomi
che ho per te,
il tuo corpo fatto di reti
la mia ombra vi si impiglia,
la tua voce perfetta e imperfetta
come petali d'oracolo in un
gregge di margherite.
Onori il tuo dio
con bruma e valanghe
ma tutto ciò che ho
è la tua religione senza promesse
e di monumenti cadenti
come stelle su un campo
dove dicevi di non aver mai dormito.
Sagomandoti le unghie
con una lametta
e leggendo il tuo operato
come un Libro dei Proverbi
che nessun uomo scriverà per te,
una membrana scartata
della voce che usi
per avvolgerci il tuo silenzio
annulla la forza di gravità tra noi,
e qualche marchingegno
della nostra vita quotidiana
vi stampa una semplice domanda
come la Preghiera del Signore incisa
a rilievo su un penny schiacciato.
Ancor prima che cominci a risponderti
so che non mi ascolterai.
Siamo assieme in una stanza,
è una serata d'ottobre
nessuno scrive la nostra storia.
Chiunque ci trattenga qui nel bel mezzo di una Legge,

I hear him now
I hear him breathing
as he embroiders gorgeously our simple chains.

Lo sento ora
Lo sento respirare
mentre ricama magnificamente le nostre semplici catene.

Story of Isaac

The door it opened slowly,
    my father he came in;
    I was nine years old.
And he stood so tall above me,
    his blue eyes they were shining
    and his voice was very cold.
He said, «I've had a vision
    and you know I'm strong and holy,
    I must do what I've been told.»
So we started up the mountain;
    I was running, he was walking,
    and his axe was made of gold.

The trees they got much smaller,
    the lake like a lady's mirror,
    when we stopped to drink some wine.
Then he threw the bottle over,
    I heard it break a minute later,
    and he put his hand on mine.
I thought I saw an eagle
    but it might have been a vulture,
    I never could decide.
Then my father built an altar,
    He looked once behind his shoulder,
    but he knew I would not hide.

You who build these altars now
    to sacrifice the children,
    you must not do it any more.
A scheme is not a vision
    and you never have been tempted
    by a demon or a god.
You who stand above them now,
    our hatchets blunt and bloody,
    you were not there before:

Storia di Isacco

La porta, si aprì lentamente,
   mio padre, lui entrò;
   avevo nove anni.
Ed era così imponente sopra di me
   i suoi occhi celesti, gli brillavano
   e la voce era gelida.
Egli disse, "Ho avuto una visione
   e tu sai che sono forte e santo,
   devo fare quanto mi è stato detto."
Così ci avviammo su per la montagna;
   io correvo, lui camminava,
   e la sua ascia era d'oro.

Gli arbusti, si fecero molto più piccoli
   il lago uno specchio da signora,
   quando ci fermammo a bere del vino.
Poi gettò via la bottiglia,
   la sentii infrangersi un minuto dopo,
   e pose la sua mano sulla mia.
Pensai di aver visto un'aquila
   ma poteva essere un avvoltoio,
   non sono mai riuscito a decidere.
Poi mio padre eresse un altare,
   si guardò una volta alle spalle,
   ma sapeva che non mi sarei nascosto.

Voi che ora erigete questi altari
   per sacrificare i bambini,
   non dovete più farlo.
Un piano non è una visione
   e voi non siete stati messi alla prova
   da un demone o da un dio.
Voi che vi ergete ora sopra di loro,
   le vostre scuri spuntate e sanguinanti,
   non c'eravate prima:

when I lay upon a mountain
and my father's hand was trembling
with the beauty of the word.

And if you call me Brother now,
forgive me if I enquire:
Just according to whose plan?
When it all comes down to dust,
I will kill you if I must,
I'll help you if I can.
When it all comes down to dust,
I will help you if I must,
I'll kill you if I can.
And mercy on our uniform,
man of peace, man of war –
the peacock spreads his fan!

quando mi sono prostrato sulla montagna
    e la mano di mio padre tremava
    per la bellezza della parola.

E se mi chiamate Fratello ora,
    perdonatemi se faccio questa domanda:
    ma secondo il piano di chi?
Quando tutto si riduce in polvere,
    vi ucciderò se devo,
    vi aiuterò se posso.
Quando tutto si riduce in polvere,
    vi aiuterò se devo,
    vi ucciderò se posso.
E pietà per le nostre uniformi,
    uomo di pace, uomo di guerra,
    il pavone fa la ruota!

Joan of Arc

Now the flames they followed Joan of Arc
as she came riding through the dark,
no moon to keep her armour bright,
no man to get her through this smoky night
She said, "I'm tired of the war,
I want the kind of work I had before:
a wedding dress or something white
to wear upon my swollen appetite."

"I'm glad to hear you talk this way
I've watched you riding every day,
and something in me yearns to win
such a cold and very lonesome heroine."
"And who are you?" she sternly spoke,
to the one beneath the smoke.
"Why, I'm fire," he replied,
"and I love your solitude, I love your pride."

"Then fire make your body cold,
I'm going to give you mine to hold."
And saying this she climbed inside
to be his one, to be his only bride.
And deep into his fiery heart
he took the dust of Joan of Arc,
and high above the wedding guests
he hung the ashes of her wedding dress.

It was deep into his fiery heart
he took the dust of Joan of Arc,
and then she clearly understood
if he was fire, oh, then she was wood.
I saw her wince, I saw her cry
I saw the glory in her eye
Myself, I long for love and light
But must it come so cruel, must it be so bright!

Giovanna d'Arco

E allora le fiamme seguirono Giovanna d'Arco
mentre attraversava a cavallo l'oscurità,
non la luna a farle risplendere l'armatura,
non un uomo a liberarla da questa notte di fumo
Lei disse, "Sono stanca della guerra,
voglio il tipo di lavoro che avevo prima:
un abito nuziale o qualcosa di bianco
da indossare sopra il mio turgido appetito."

"Sono contento di sentirti parlare così
ogni giorno ti ho osservata cavalcare,
e qualcosa in me anela a vincere
un'eroina così fredda e solitaria."
"E tu chi sei?" disse lei severa,
rivolgendosi a chi stava sotto il fumo.
"Ebbene, sono il fuoco," rispose,
"e amo la tua solitudine, amo il tuo orgoglio."

"E allora fuoco raffredda il tuo corpo,
io ti concedo il mio da stringere."
E così dicendo vi entrò dentro
per diventare la sua sola, unica sposa.
E nel profondo del suo cuore ardente
lui accolse la polvere di Giovanna d'Arco
e in alto sopra gli invitati alle nozze
appese le ceneri del suo abito nuziale.

Fu nel profondo del suo cuore ardente
che accolse la polvere di Giovanna d'Arco,
e allora lei capì perfettamente
se lui era il fuoco, oh, allora lei era la legna.
La vidi trasalire, la vidi piangere
Vidi la gloria nei suoi occhi
Quanto a me, anelo alla luce e all'amore,
Ma deve proprio essere così crudele, così luminoso!

The Poems don't Love Us Any More

The poems don't love us any more
they don't want to love us
they don't want to be poems
Do not summon us, they say
We can't help you any longer

There's no more fishing
in the Big Hearted River
Leave us alone
We are becoming something new

They have gone back into the world
to be with the ones
who labour with their total bodies
who have no plans for the world
They never were entertainers

I live on a river in Miami
under conditions I cannot describe
I see them sometimes
half-rotted half-born
surrounding a muscle
like a rolled-up sleeve
lying down in their jelly
to make love with the tooth of a saw

Le poesie non ci amano più

Le poesie non ci amano più
non vogliono amarci
non vogliono essere poesie
Non chiamateci a raccolta, dicono
Non possiamo più aiutarvi

Non si pesca più
nel Fiume dal Gran Cuore
Lasciateci in pace
Stiamo per diventare qualcosa di nuovo

Sono ritornate nel mondo
per stare con chi
fatica con tutto il corpo
chi non ha alcun piano per il mondo
Non sono mai state puro intrattenimento

Vivo su un fiume a Miami
in condizioni che non posso descrivere
le vedo talvolta
mezze marce e mezze nate
che si avvolgono su un muscolo
come una manica arrotolata
sprofondate nel loro liquido viscoso
Per fare l'amore con una lama dentata

Take This Longing

Many men have loved bells
you fastened to the rain;
and everyone who wanted you,
they found what they
will always want again –
your beauty lost to you yourself,
just as it was lost to them –

Take this longing from my tongue,
all the useless things
my hands have done;
let me see your beauty broken down,
like you would do
for one you love.

Your body like a searchlight.
My poverty revealed.
I would like to try your charity,
until you cry:
"Now you must try my greed."
And everything depends upon
how near you sleep to me –

Take this longing from my tongue,
all the lonely things
my hands have done;
let me see your beauty broken down,
like you would do
for one you love.

Hungry as an archway
through which the troops have passed,
I stand in ruins behind you
with your winter clothes,
your broken sandal strap.

Cogli questo desiderio

Molti uomini hanno amato i campanelli
che legavi alla pioggia;
e tutti quelli che ti hanno desiderata,
hanno trovato qualcosa
da desiderare ancora per sempre –
la tua bellezza, perduta per te,
come fu perduta per loro –

Cogli questo desiderio dalla mia lingua,
tutte le cose inutili
che han fatto le mie mani;
lasciami vedere la tua bellezza scomposta,
come faresti
per uno che ami.

Il tuo corpo come un riflettore.
Rivelava la mia povertà.
Vorrei provare la tua carità,
fino a farti gridare:
"Ora devi provare la mia bramosia."
E tutto dipende da
quanto mi dormi vicino –

Cogli questo desiderio dalla mia lingua,
tutte le cose solitarie
che han fatto le mie mani;
lasciami vedere la tua bellezza scomposta,
come faresti
per uno che ami.

Affamato come un arco
attraverso cui sono passati i reggimenti
sono fra le rovine dietro di te
con i tuoi abiti invernali
la cinghia rotta del sandalo.

But I love to see you naked there.
especially from the back –

Take this longing from my tongue,
whatever useless things
these hands have done;
untie for me your high blue gown,
like you would do
for one you love.

You're faithful to the better man.
Well, I'm afraid that he left.
So let me judge your love affair
in this very room where I have
sentenced mine to death.
I'll even wear these old laurel leaves
that he's shaken from his head –

Take this longing from my tongue,
all the useless things
these hands have done;
let me see your beauty broken down,
like you would do
for one you love.

Ma adoro vederti nuda laggiù,
specialmente da dietro –

Cogli questo desiderio dalla mia lingua,
e tutte le cose inutili
che han fatto queste mani;
slaccia per me la veste azzurra accollata,
come faresti
per uno che ami.

Sei fedele al migliore dei due.
Beh, temo se ne sia andato.
Così lasciami giudicare la tua storia d'amore
in questa stessa stanza dove ho
condannato a morte la mia.
Mi cingerò persino di queste vecchie foglie di alloro
che si è scosso dalla testa –

Cogli questo desiderio dalla mia lingua,
tutte le cose inutili
che han fatto queste mani;
lasciami vedere la tua bellezza scomposta,
come faresti
per uno che ami.

Chelsea Hotel

I remember you well in the Chelsea Hotel,
you were talking so brave and so sweet;
  giving me head on the unmade bed,
while the limousines waited in the street.
  And those were the reasons, and that was New York,
we were running for the money and the flesh;
  and that was called love for the workers in song,
probably still is for those of them left.

But you got away, didn't you, baby,
you just turned your back on the crowd.
  You got away, I never once heard you say:
"I need you, I don't need you,
I need you, I don't need you," –
  and all of that jiving around.

I remember you well in the Chelsea Hotel,
you were famous, your heart was a legend.
  You told me again you preferred handsome men,
but for me you would make an exception.
  And clenching your fist for the ones like us
who are oppressed by the figures of beauty,
  you fixed yourself, you said: "Well, never mind,
we are ugly, but we have the music."

But you got away, didn't you, baby
you just threw it all to the ground.
You got away, I never once heard you say:
"I need you, I don't need you,
I need you, I don't need you," –
  and all of that jiving around.

I don't mean to suggest that I loved you the best;
I don't keep track of every fallen robin.
  I remember you well in the Chelsea Hotel –
that's all, I don't even think of you that often.

Hotel Chelsea

Ti ricordo bene all'Hotel Chelsea,
parlavi in modo audace e dolce;
   mi succhiavi sul letto sfatto,
mentre le limousine aspettavano in strada.
   E quelle erano le ragioni, e quella era New York,
correvamo per denaro e per piacere;
   e quello era considerato amore per i professionisti del canto,
probabilmente lo è ancora per quelli che son rimasti.

Ma tu te ne sei andata, vero, baby[*],
hai voltato le spalle alla folla.
Te ne sei andata, non una volta ti ho sentito dire:
"Mi manchi, non mi manchi,
Mi manchi, non mi manchi" –
   e tutte quelle manfrine.

Ti ricordo bene all'Hotel Chelsea,
eri famosa, il tuo cuore una leggenda
   Mi hai detto di nuovo che preferivi i belli,
ma per me avresti fatto un'eccezione.
   E stringendo il pugno per quelli come noi
che sono soggiogati dalle sembianze della bellezza,
   ti sei fatta, e hai detto "Beh, non importa,
siamo brutti, ma abbiamo la musica."

  Ma tu te ne sei andata, vero, baby,
hai gettato tutto alla polvere.
Te ne sei andata, non una volta ti ho sentito dire:
"Mi manchi, non mi manchi,
Mi manchi, non mi manchi"
   e tutte quelle manfrine.

Non voglio dire di averti amato come nessun'altro;
non tengo il conto di ogni fringuella che ci casca.
   Ti ricordo bene all'Hotel Chelsea –
tutto qui, e neanche ti penso spesso.

[*] Riferimento a Janis Joplin, celeberrima rockstar e poetessa.

A Singer Must Die

The courtroom is quiet, but who will confess? Is it true you betrayed us? The answer is Yes. Then read me the list of the crimes that are mine. I will ask for the mercy that you love to decline. *And all the ladies go moist, and the judge has no choice: a singer must die for the lie in his voice.*

I thank you, I thank you for doing your duty, you keepers of Truth, you guardians of Beauty. Your vision is right. My vision is wrong. I'm sorry for smudging the air with my song. *La la la la la la, la la la la la la*

The night it is thick, and my defences are hid in the clothes of a woman I would like to forgive; in the rings of her silk, in the hinge of her thighs, where I had to go begging in beauty's disguise. *Goodnight, goodnight, my night after night, my night after night after night after night*

I am so afraid, I listen to you. Your sun-glassed protectors they do that to you. It's their ways to detain, it's their ways to disgrace, their knee in your balls and their fist in your face. *Yes, and long live the state! By whoever it's made! Sir, I didn't see nothing, I was just getting home late.*

And save me a place in the twelve-dollar grave with those who took money for the pleasure they gave; with those always ready, with those who undressed so you could lay down with your head on somebody's breast. *And all the ladies go moist, and the judge has no choice: a singer must die for the lie in his voice.*

Un cantante deve morire

C'è silenzio in aula, ma chi confesserà? È vero che ci hai traditi? La risposta è Sì. Dunque leggetemi l'elenco dei crimini che ho commesso. Invocherò la clemenza che amate rifiutarmi *E tutte le signore si bagnano, e il giudice non ha scelta: un cantante deve morire per la sua voce menzognera.*

Vi ringrazio, vi ringrazio perché fate il vostro dovere, voi detentori della Verità, voi custodi della Bellezza. Le vostre idee sono giuste. Le mie sbagliate. Mi spiace di aver inquinato l'aria con il mio canto. *La la la la la la, la la la la la la*

La notte è fitta, e le mie difese son celate nelle vesti d'una donna che vorrei perdonare; nei solchi della sua biancheria di seta, nel cardine delle sue cosce, dove ho dovuto mendicare travestito di bellezza. *Buonanotte, buonanotte, la mia notte dopo notte, la mia notte dopo notte dopo notte dopo notte*

Sono così spaventato che vi ascolto. I vostri protettori con gli occhiali da sole sono loro a farvi questo. è il loro modo di arrestare, è il loro modo di umiliare, una ginocchiata nelle palle e un pugno in faccia *Sì, e lunga vita allo stato! Da chiunque sia retto! Signore, non ho visto nulla. Stavo solo rientrando a casa tardi.*

E tenetemi un posto in questa tomba da quattro soldi, insieme a chi accettava denaro in cambio del piacere che dava; insieme a chi era sempre disponibile, insieme a chi si spogliava per permettervi di sdraiarvi poggiando la testa sul seno di qualcuno. *E tutte le signore si bagnano, e il giudice non ha scelta: un cantante deve morire per la sua voce menzognera.*

Death of a Lady's Man

The man she wanted all her life
    was hanging by a thread.
"I never even knew how much
    I wanted you," she said.
His muscles they were numbered
    and his style was obsolete.
"O baby, I have come too late."
    She knelt beside his feet.

"I'll never see a face like yours
    in years of men to come,
I'll never see such arms again
    in wrestling or in love."
And all his virtues burning
    in this smoky holocaust,
she took unto herself
    most everything her lover lost.

Now the master of this landscape
    he was standing at the view
with a sparrow of St. Francis
    that he was preaching to.
She beckoned to the sentry
    of his high religious mood.
She said, "I'll make a space between my legs,
    I'll teach you solitude."

He offered her an orgy
    in a many-mirrored room;
he promised her protection
    for the issue of her womb.
She moved her body hard
    against a sharpened metal spoon,
she stopped the bloody rituals
    of passage to the moon.

Morte di un dongiovanni

L'uomo che voleva da una vita
    era sospeso a un filo.
"Non sapevo neanche quanto
    ti volessi", disse lei.
I suoi muscoli erano contati
    e il suo stile obsoleto.
"Tesoro, troppo tardi sono giunta."
    Lei si inginocchiò accanto ai suoi piedi.

"Mai vedrò volto d'uomo come il tuo
    negli anni a venire
Mai vedrò ancora braccia simili
    in lotta o in amore."
E tutte le sue virtù ardevano
    nel fumo di quest'olocausto,
lei fece propria la maggior parte
    di ciò che perse il suo amante.

Ora, signore di questo paesaggio,
    lui dominava la vista
con un passero di San Francesco
    a cui stava predicando.
Lei attrasse con un cenno la sentinella
    del suo alto stato religioso.
Disse: "Ti farò posto fra le mie gambe,
    t'insegnerò io la solitudine".

Lui le propose un'orgia
    in una stanza piena di specchi;
le promise protezione
    per il frutto del suo grembo.
Con impeto lei diresse il corpo
    contro un cucchiaio di metallo affilato,
interruppe i riti di sangue
    al passaggio della luna.

She took his much-admired
    oriental frame of mind,
and the heart-of-darkness alibi
    his money hides behind.
She took his blonde madonna
    and his monastery wine.
"This mental space is occupied
    and everything is mine."

He tried to make a final stand
    beside the railway track.
She said, "The art of longing's over
    and it's never coming back."
She took his tavern parliament,
    his cap, his cocky dance;
she mocked his female fashions
    and his working-class moustache.

The last time that I saw him
    he was trying hard to get
a woman's education
    but he's not a woman yet.
And the last time that I saw her
    she was living with a boy
who gives her soul an empty room
    and gives her body joy.

So the great affair is over
    but whoever would have guessed
it would leave us all so vacant
    and so deeply unimpressed.
It's like our visit to the moon
    or to that other star:
I guess you go for nothing
        if you really want to go that far.

Gli portò via la tanto ammirata
	forma mentis orientale,
E l'alibi cuore-di-tenebra
	dietro cui è nascosto il suo denaro.
Gli portò via la bionda madonna
	e il vino del monastero.
"Questo spazio mentale è ccupato
	e ogni cosa è mia".

Lui cercò un'ultima volta di prendere posizione
	accanto ai binari del treno.
Lei disse "L'arte del desiderio si è spenta
	e non tornerà mai più".
Lei gli portò via il suo parlamento da taverna,
	il berretto, la danza sfrontata;
schernì i suoi modi femminili
	e i baffi da operaio.

L'ultima volta che vidi lui
	stava cercando di darsi a tutti i costi
una formazione da donna
	ma non è ancora una donna.
E l'ultima volta che vidi lei
	viveva con un ragazzo
che alla sua anima dà una stanza vuota
	e al corpo gioia.

Così è finito il grande amore
	ma chi l'avrebbe mai detto
che ci avrebbe lasciato tutti così vuoti
	e profondamente indifferenti.
È come il nostro viaggio sulla luna
	o su quell'altra stella:
Penso che non serva una ragione
	se si vuole davvero andare così lontano.

The Window

Why do you stand by the window
abandoned to beauty and pride?
the thorn of the night in your bosom,
the spear of the age in your side;
lost in the rages of fragrance,
lost in the rags of remorse,
lost in the waves of a sickness
that loosens the high silver nerves.

O chosen love, O frozen love
O tangle of matter and ghost.
O darling of angels, demons and saints
and the whole broken-hearted host –
    Gentle this soul.

Come forth from the cloud of unknowing
and kiss the cheek of the moon;
the code of solitude broken,
why tarry confused and alone?
And leave no word of discomfort,
and leave no observer to mourn,
but climb on your tears and be silent
like the rose on its ladder of thorn.

Then lay your rose on the fire;
the fire give up to the sun;
the sun give over to splendour
in the arms of the High Holy One;
for the Holy One dreams of a letter,
dreams of a letter's death –
oh bless the continuous stutter
of the word being made into flesh.

O chosen love, O frozen love
O tangle of matter and ghost.

La finestra

Perché stai alla finestra
abbandonata alla bellezza e all'orgoglio?
la spina della notte nel seno,
la lancia dell'età nel fianco;
perduta nell'ardore della fragranza,
perduta nei lembi del rimorso,
perduta nelle onde di un male
che allenta le tese corde d'argento.

O amore prediletto, o amore cristallizzato
O viluppo di materia e spirito.
O amata da angeli, demoni e santi
e dall'intera schiera di cuori infranti –
    Lenisci quest'anima.

Esci dalla nube dell'inconsapevolezza
e bacia la guancia della luna;
una volta infranto il codice della solitudine,
perché indugi confusa e sola?
E non lasciare parola di sconforto,
e non lasciare che chi guarda pianga,
ma inerpicati sulle tue lacrime e resta in silenzio
come la rosa sulla sua scala di spine.

Poi poggia la tua rosa sul fuoco;
il fuoco si arrenda al sole;
il sole ceda allo splendore
nelle braccia del Santissimo;
poiché il Santo sogna una lettera –
sogna la morte di una lettera
oh benedici il continuo balbettio
della parola che si fa carne.

O amore prediletto, o amore cristallizzato
O viluppo di materia e spirito.

O darling of angels, demons and saints
and the whole broken-hearted host –
*   Gentle this soul,*
*   Gentle this soul*

O amata da angeli, demoni e santi
E dall'intera schiera di cuori infranti –
    Lenisci quest'anima,
    Lenisci quest'anima.

True Love Leaves No Traces

As the mist leaves no scar
On the dark green hill
So my body leaves no scar
On you and never will

Through windows in the dark
The children come, the children go
Like arrows with no target
Like shackles made of snow

True love leaves no traces
If you and I are one
It's lost in our embraces
Like stars against the sun

As a falling leaf may rest
A moment in the air
So your head upon my breast
So my hand upon your hair

And many nights endure
Without a moon, without a star
So will we endure
When one is gone and far

True love leaves no traces
If you and I are one
It's lost in our embraces
Like stars against the sun

Arnaldo Pomodoro
Lettera del cuore / Letter of the Heart
calcografia (*embossing on paper*), cm 34,5 x 24,5, 1976-77

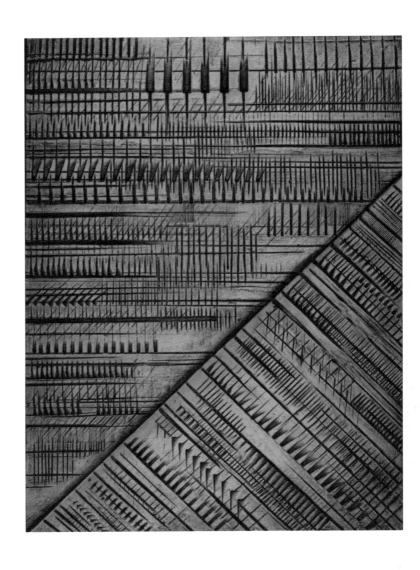

Arnaldo Pomodoro
Lettera di divisione dei terreni / Letter to divide Lands
calcografia (*embossing on paper*), cm 34,5 x 24,5, 1976-77

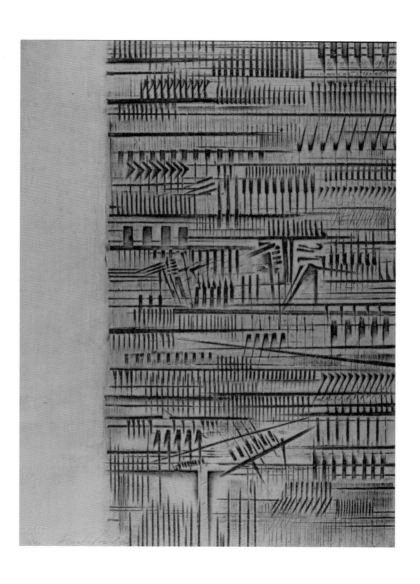

Arnaldo Pomodoro
Lettera narrativa / Narrative Letter
calcografia (*embossing on paper*), cm 34,5 x 24,5, 1976-77

Arnaldo Pomodoro
Lettera solare / Solar Letter
calcografia (*embossing on paper*), cm 34,5 x 24,5, 1976-77

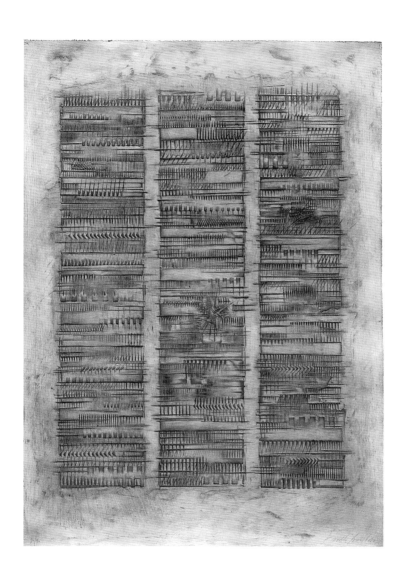

Arnaldo Pomodoro
Cronaca: 6 - Francesco Leonetti / Chronicle: 6 - Francesco Leonetti
calcografia (*embossing on paper*), cm 100 x 70, 1977

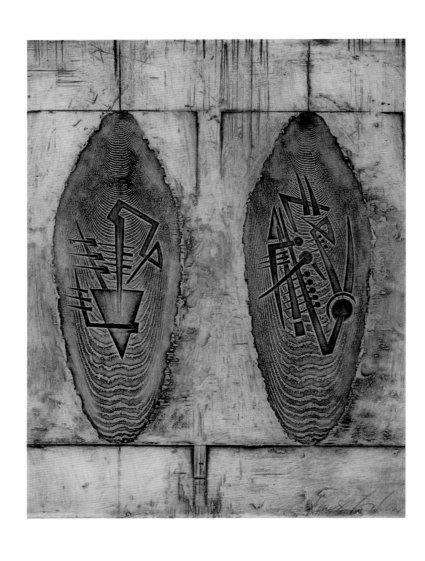

Arnaldo Pomodoro
Due Scudi / Two Shields
calcografia (*embossing on paper*), cm 70 x 53,3, 1987-88

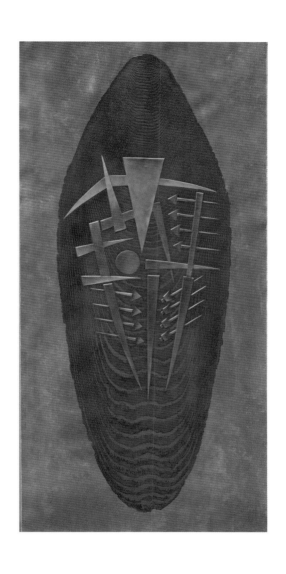

Arnaldo Pomodoro
Sogno IV / Dream IV
calcografia (*embossing on paper*), cm 197 x 95 x 4, 1988-93

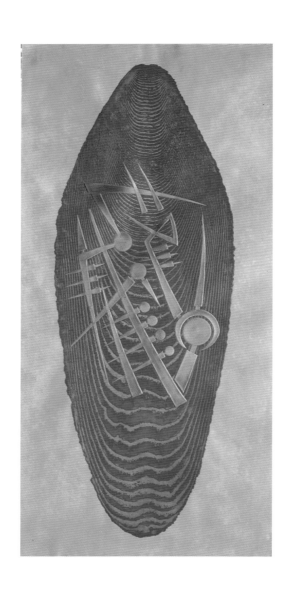

Arnaldo Pomodoro
Sogno VII / Dream VII
calcografia (*embossing on paper*), cm 197 x 95 x 4, 1988-93

Arnaldo Pomodoro
Sogno VIII / Dream VIII
calcografia (*embossing on paper*), cm 197 x 95 x 4, 1988-93

Arnaldo Pomodoro
Segnali / Signals
acquatinta e calcografia in rilievo
(*aquatint and embossing on paper*), cm 69 x 48,5, 1995

Arnaldo Pomodoro
Segnali / Signals
acquatinta e calcografia in rilievo
(*aquatint and embossing on paper*), 69 x 48,5, 1995

139

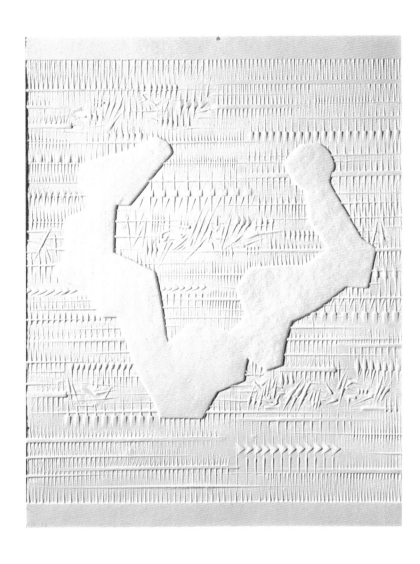

Arnaldo Pomodoro
Untitled 3
rilievo stampato a freddo su carta a mano
(*embossing on hand-made paper*), cm 80 x 60, 1996

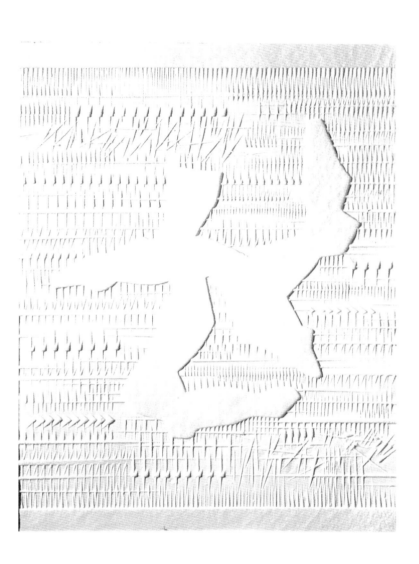

Arnaldo Pomodoro
Untitled 6
rilievo stampato a freddo su carta a mano
(*embossing on hand-made paper*), cm 80 x 60, 1996

Arnaldo Pomodoro
Tracce VI / Traces VI
calcografia (*embossing on paper*), cm 79 x 49, 1998

Arnaldo Pomodoro
Tracce VII / Traces VII
calcografia (*embossing on paper*), cm 79 x 69, 1998

Arnaldo Pomodoro
Per Capodanno / For New Year's Day
calcografia (*embossing on paper*), cm 22,5 x 16,5, 1997/98

L'amore vero non lascia traccia

Come la foschia non lascia cicatrici
sulla scura verde collina
così il mio corpo non lascia cicatrici
su di te e mai ne lascerà

Attraverso le finestre nel buio
vanno e vengono i bambini
come frecce senza bersaglio
come ceppi di neve

L'amore vero non lascia traccia
Se io e te siamo tutt'uno
si perde nei nostri abbracci
come stelle contro il sole

Come una foglia che cade può trattenersi
un istante nell'aria
così il tuo capo sul mio petto
così la mia mano sui tuoi capelli

E molte notti resistono
senza luna, senza stelle
così noi resisteremo
quando uno di noi sarà partito e lontano.

L'amore vero non lascia traccia
Se io e te siamo tutt'uno
Si perde nei nostri abbracci
Come stelle contro il sole

The Tower of Song

My friends are gone and my hair is grey.
I ache in the places where I used to play.
And I'm crazy for love but I'm not coming on.
I'm just paying my rent every day in the tower of song.

I said to Hank Williams, "How lonely does it get?"
Hank Williams hasn't answered yet,
but I hear him coughing all night long,
a hundred floors above me in the tower of song.

I was born like this, I had no choice.
I was born with the gift of a golden voice,
and twenty-seven angels from the great beyond,
they tied me to this table right here in the tower of song.

So you can stick your little pins in that voodoo doll
– I'm very sorry, baby, doesn't look like me at all.
I'm standing by the window where the light is strong.
They don't let a woman kill you, not in the tower of song.

Now you can say that I've grown bitter, but of this you may be sure:
The rich have got their channels in the bedrooms of the poor,
and there's a mighty judgement coming, but I may be wrong.
You see, you hear these funny voices in the tower of song.

I see you standing on the other side.
I don't know how the river got so wide.
I loved you, I loved you way back when –
And all the bridges are burning that we might have crossed,
but I feel so close to everything that we lost –
We'll never, we'll never have to lose it again.
So I bid you farewell, I don't know when I'll be back.

La torre del canto

Gli amici se ne sono andati e io ho i capelli grigi.
Mi fanno male quelle parti con cui mi dilettavo.
Sono pazzo d'amore, ma non mi faccio avanti.
Pago solo l'affitto ogni giorno nella torre del canto.

Ho detto a Hank Williams*: "Quanto soli ci si può sentire?"
Hank Williams non ha ancora risposto,
ma lo sento tossire tutta la notte,
cento piani al di sopra del mio nella torre del canto.

Son nato così, non avevo scelta.
Son nato col dono di una voce d'oro,
e ventisette angeli dall'aldilà,
mi legarono a questo tavolo proprio qui nella torre del canto.

Così puoi conficcare i tuoi spilli in quella bambola voodoo
– Mi spiace, cara, ma non mi somiglia affatto.
Sto alla finestra dove la luce è intensa.
Non lasciano che una donna ti uccida, non nella torre del canto.

Ora puoi dire che sono esacerbato, ma di questo puoi esser sicura:
I ricchi sanno infilarsi nelle stanze da letto dei poveri,
e incombe un implacabile giudizio, ma potrei anche sbagliarmi.
Vedi, si sentono delle strane voci nella torre del canto.

Vedo che te ne stai dall'altra parte.
Non so come il fiume abbia fatto a ingrossarsi così.
Ti ho amata, ti ho amata tanto tempo fa, quando –
E tutti i ponti che avremmo potuto attraversare sono in fiamme,
ma mi sento così vicino a tutto ciò che abbiamo perduto –
Non dovremo mai, mai perderlo ancora.
Così ti dico addio, non so quando tornerò.

* Hank Williams era un celebre cantante di country western.

They're moving us tomorrow to that tower down the track.
But you'll be hearing from me, baby, long after I'm gone.
I'll be speaking to you sweetly from my window in the tower of song.

My friends are gone and my hair is grey.
I ache in the places where I used to play.
And I'm crazy for love, but I'm not coming on.
I'm just paying my rent every day in the tower of song.

Domani ci trasferiranno in quella torre in fondo alla strada.
Ma mi farò vivo, cara, ancora a lungo dopo che me ne sarò andato.
Ti parlerò con dolcezza dalla mia finestra nella torre del canto.

Gli amici se ne sono andati e io ho i capelli grigi
Mi fanno male quelle parti con cui mi dilettavo.
Sono pazzo d'amore, ma non mi faccio avanti.
Pago solo l'affitto ogni giorno nella torre del canto.

I can't make the hills
The system is shot
I'm living on pills
For which I thank G-d

I followed the course
From chaos to art
Desire the horse
Depression the cart

I sailed like a swan
I sank like a rock
But time is long gone
Past my laughing stock

My page was too white
My ink was too thin
The day wouldn't write
What the night pencilled in

My animal howls
My angel's upset
But I'm not allowed
A trace of regret

For someone will use
What I couldn't be
My heart will be hers
Impersonally

She'll step on the path
She'll see what I mean
My will cut in half
And freedom between

Il libro del desiderio

Non ce la faccio fino alle colline
Il sistema è in tilt
Vivo di pillole
Del che ringrazio D-o

Ho seguito il tragitto
Dal caos all'arte
Desiderio è il cavallo
Depressione il carro

Ho veleggiato come un cigno
Sono affondato come un sasso
Ma ne è passato di tempo
Da quando ero uno zimbello

La mia pagina era troppo bianca
Il mio inchiostro troppo diluito
Il giorno non voleva trascrivere
Gli appunti a matita della notte

Il mio animale ulula
Il mio angelo è turbato
Ma non mi è concesso
Un filo di rimpianto

Perché qualcuno userà
Ciò che non sono riuscito ad essere
Il mio cuore sarà suo
In modo impersonale

Lei percorrerà lo stesso sentiero
capirà cosa intendo
La mia volontà tagliata in due
con la libertà in mezzo.

For less than a second
Our lives will collide
The endless suspended
The door open wide

Then she will be born
To someone like you
What no one has done
She'll continue to do

I know she is coming
I know she will look
And that is the longing
And this is the book

Per meno di un istante
Le nostre vite si scontreranno
L'infinito sospeso
La porta spalancata

Allora lei nascerà
Per uno come te
Ciò che nessuno ha fatto
Lei continuerà a farlo

So che verrà
So che guarderà
E quello è il desiderio
E questo è il libro

By the Rivers Dark

By the rivers dark
I wandered on
I lived my life
in Babylon

and I did forget
my holy song
and I had no strength
in Babylon

by the rivers dark
where I could not see
who was waiting there
who was hunting me

and he cut my lip
and he cut my heart
so I could not drink
from the river dark

and he covered me
and I saw within
my lawless heart
and my wedding ring

I did not know
and I could not see
who was waiting there
who was hunting me

by the rivers dark
I panicked on
I belonged at last
to Babylon

Lungo i fiumi oscuri

Lungo i fiumi oscuri
continuavo a vagare
ho trascorso la vita
a Babilonia

e ho dimenticato
il mio canto sacro
ero senza forze
a Babilonia

lungo i fiumi oscuri
dove non potevo vedere
chi mi stava aspettando
chi mi stava inseguendo

e lui mi tagliò il labbro
e lui mi tagliò il cuore
così non potei bere
al fiume oscuro

e lui mi coprì
e io vidi dentro
il mio cuore senza leggi
e la mia fede nuziale

non sapevo
e non potevo vedere
chi mi stava aspettando
chi mi stava inseguendo

lungo i fiumi oscuri
fui ripreso dal panico
appartenevo infine
a Babilonia

then he struck my heart
with a deadly force
and he said, "This heart
it is not yours."

and he gave the wind
my wedding ring
and he circled me
with everything

by the rivers dark
in a wounded dawn
I live my life
in Babylon

tho' I take my song
from a withered limb
both song and tree
they sing for him

be the truth unsaid
and the blessing gone
if I forget
my Babylon

I did not know
and I could not see
who was waiting there
who was hunting me

by the rivers dark
where it all goes on
by the rivers dark
in Babylon

poi mi colpì al cuore
con forza mortale
e disse: "Questo cuore
non è tuo."

e diede al vento
la mia fede nuziale
e mi cinse
di ogni cosa

lungo i fiumi oscuri
in un'alba ferita
trascorro la vita
a Babilonia

anche se traggo il mio canto
da un ramo disseccato
canto e albero
cantano per lui

sia taciuta la verità
e annullata la benedizione
se mai dimentico
la mia Babilonia

non sapevo
e non potevo vedere
chi mi stava aspettando
chi mi stava inseguendo

lungo i fiumi oscuri
dove tutto si svolge
lungo i fiumi oscuri
a Babilonia

Love Itself

for L.W.

The light came through the window,
Straight from the sun above,
And so inside my little room
There plunged the rays of Love.

In streams of light I clearly saw
The dust you seldom see,
Out of which the Nameless makes
A Name for one like me.

I'll try to say a little more:
Love went on and on
Until it reached an open door –
Then Love Itself was gone.

All busy in the sunlight
The flecks did float and dance,
And I was tumbled up with them
In formless circumstance.

Then I came back from where I'd been
My room, it looked the same –
But there was nothing left between
The Nameless and the Name.

I'll try to say a little more:
Love went on and on
Until it reached an open door –
Then Love Itself was gone.

L'amore stesso

per L.W.

La luce giunse attraverso la finestra
Direttamente dal sole in alto,
E così nella mia piccola stanza
Si riversarono i raggi dell'Amore.

In fiotti di luce vidi chiaramente
Il pulviscolo che di rado si vede,
Da cui il Senza Nome crea
Un Nome per uno come me.

Proverò a dire qualcosa di più:
L'Amore continuò
Finché giunse a una porta aperta –
Allora l'Amore stesso svanì.

Tutti affaccendati alla luce del sole
I granelli fluttuavano e danzavano,
E io mi ritrovai sbattuto fra di loro
In circostanze incorporee.

Poi ritornai da dov'ero venuto.
La mia stanza, sembrava la stessa –
Ma non c'era più nulla tra
il Nome e il Senza Nome.

Proverò a dire qualcosa di più:
L'Amore continuò
Finché giunse a una porta aperta –
Allora l'Amore stesso svanì.

You Have Loved Enough

I said I'd be your lover.
You laughed at what I said.
I lost my job forever.
I was counted with the dead.

I swept the marble chambers,
But you sent me down below.
You kept me from believing
Until you let me know:

That I am not the one who loves –
It's love that seizes me.
When hatred with his package comes,
You forbid delivery.

And when the hunger for your touch
Rises from the hunger,
You whisper, "You have loved enough,
Now let me be the Lover."

Hai amato abbastanza

Io ho detto che ti avrei amato.
Tu hai riso delle mie parole.
Ho perso il lavoro per sempre.
Sono stato annoverato tra i morti.

Ho spazzato le sale di marmo,
Ma tu mi hai sospinto ancor più in basso.
Mi hai impedito di credere
Finché mi hai fatto sapere:

che non sono io ad amare –
È l'amore che mi possiede.
Quando arriva l'odio col suo fardello,
Tu ne impedisci la consegna.

E quando la fame di una tua carezza
Scaturisce dalla fame stessa,
Tu sussurri: "Hai amato abbastanza.
Ora lascia che sia io ad amare."

Wish Me Luck

a fresh spiderweb
billowing
like a spinnaker
across the open window
and here he is
the little master
sailing by
on a thread of milk
wish me luck
admiral
I haven't finished anything
in a long time

Augurami buona fortuna

Una ragnatela fresca
che ondeggia
come una vela
attraverso la finestra aperta
ed eccolo qui
il piccolo capitano
che veleggia
su un filo di latte
augurami buona fortuna
ammiraglio
È tanto tempo
che non porto a termine nulla

Thousands

Out of the thousands
who are known,
or who want to be known
as poets,
maybe one or two
are genuine
and the rest are fakes,
hanging around the sacred precincts
trying to look like the real thing.
Needless to say
I am one of the fakes
and this is my story.

Migliaia

Delle migliaia
che sono conosciuti,
o che vogliono esser conosciuti
come poeti,
forse uno o due
sono veri
e gli altri sono finti,
si aggirano nei sacri recinti
cercando di apparire autentici.
Inutile dirlo
sono uno di quelli finti,
e questa è la mia storia.

Mission

I've worked at my work
I've slept at my sleep
I've died at my death
And now I can leave

Leave what is needed
And leave what is full
Need in the Spirit
And need in the Hole

Beloved, I'm yours
As I've always been
From marrow to pore
From longing to skin

Now that my mission
Has come to its end:
Pray I'm forgiven
The life that I've led

The body I chased
It chased me as well
My longing's a place
My dying a sail

Missione

Ho lavorato al mio lavoro
Ho riposato nel mio riposo
Sono morto alla mia morte
E ora posso lasciare

Lasciare quel che serve
E lasciare quel che è pieno
Quel che serve nello Spirito
E quel che serve nel Vuoto

Amata, sono tuo
Lo sono sempre stato
Dal midollo ai pori
Dal desiderio alla pelle

Ora che la mia missione
È giunta a termine:
Prego che mi venga perdonata
La vita che ho condotto

Il Corpo che ho rincorso
Mi ha rincorso a sua volta
Il mio desiderio è un luogo
La mia morte una vela

The Tradition

Jazz on the radio
32 in the desk drawer
Brush in hand
Heart in sad confusion
He draws a woman
The sax says it better
The cold March night says it better
Everything but his heart and his hand
Says it better
Now there is a woman on the paper
Now there are colours
Now there is a shadow on her waist
He knows his own company
The surprises
Of patience and disorderly solitude
Knows the tune
According to his station
How to let the changes
He can't play
Connect him to the ones who can
And the woman on the paper
Who will never pierce the air with her beauty
She belongs here too
She too has her place
In the basement of the vast museum
Not that he could boast about it
Not that he would dare to call it
Some kind of Path
He will never untangle
Or upgrade
The circumstances
That fasten him to this loneliness
Or bent down with love
Comprehend the sudden mercy
Which floods the room
And dissolves it now
In the traditional golden light

La tradizione

Jazz alla radio
Una calibro 32 nel cassetto della scrivania
Pennello in mano
Cuore triste e confuso
Lui abbozza una donna
Il sax lo sa dire meglio
La fredda notte di marzo lo sa dire meglio
Tutto fuorché il suo cuore e la sua mano
Lo sa dire meglio
Ora c'è una donna sul foglio
Ora ci sono i colori
Ora c'è un'ombra sulla cintola
Lui sa com'è stare in compagnia di se stesso
Le sorprese
Della pazienza e della disordinata solitudine
Sa riconoscere la nota
a seconda della stazione
e lasciare che i passaggi
Che non sa suonare
Lo colleghino a chi ci riesce
E la donna sul foglio
Che non squarcerà mai l'aria con la sua bellezza
Appartiene anche lei a questo luogo
Anche lei ha il suo posto
Nei sotterranei del grande museo
Non che egli se ne possa vantare
Né oserebbe mai considerarlo
Una sorta di Sentiero
Non potrà mai districare
O migliorare
Le circostanze che lo legano a questa solitudine
O piegato dall'amore
Comprendere l'improvvisa misericordia
Che inonda la stanza
E la dissolve ora
Nella luce d'oro della tradizione

The Great Event

It's going to happen very soon. The great event that will end the hor-ror. That will end the sorrow. Next Tuesday, when the sun goes down, I will play the Moonlight Sonata backwards. This will reverse the effects of the world's mad plunge into suffering for the last 200 million years. What a lovely night that will be. What a sigh of relief, as the senile robins become bright red again, and the retired nightingales pick up their dusty tails, and assert the majesty of creation!

Il grande evento

Accadrà ben presto. Il grande evento che porrà fine all'orrore. Che porrà fine al dolore. Martedì prossimo, al calar del sole, suonerò a ritroso la *Sonata al chiaro di luna*. Questo invertirà gli effetti della folle caduta del mondo nella sofferenza negli ultimi duecento milioni di anni. Che incantevole notte sarà. Che sospiro di sollievo, mentre i pettirossi incanutiti ridiventano di un rosso brillante, e gli usignoli ammutoliti rialzano le code impolverate, affermando la maestà della creazione!

On The Path

for C.C.

On the path of loneliness
I came to the place of song
and tarried there
for half my life
Now I leave my guitar
and my keyboards
my friends and s-x companions
and I stumble out again
on the path of loneliness
I am old but I have no regrets
not one
even though I am angry and alone
and filled with fear and desire
Bend down to me
from your mist and vines
O high one, long-fingered
and deep-seeing
Bend down to this sack of poison
and rotting teeth
and press your lips
to the light of my heart

Sul sentiero

per C.C.

Sul sentiero della solitudine
sono giunto al luogo del canto
dove mi sono trattenuto
per metà della mia vita
Ora lascio la chitarra
e le tastiere
gli amici e compagni di baldorie
e mi incammino barcollando nuovamente
sul sentiero della solitudine
sono vecchio ma non ho rimpianti
nemmeno uno
anche se sono adirato e solo
e traboccante di paura e di desiderio
Chinati su di me
dalla tua bruma e dalle tue vigne
Oh Altissima, dalle dita affusolate
e dalla vista penetrante
Chinati su questo fardello di veleno
e su questi denti guasti
e premi le tue labbra
sulla luce del mio cuore

My Mother Is Not Dead

My mother isn't really dead.
Neither is yours.
I'm so happy for you.
You thought your mother was dead,
And now she isn't.
What about your father?
Is he well?
Don't worry about any of your relatives.
Do you see the insects?
One of them was once your dog.
But do not try to pat the ant.
It will be destroyed by your awkward affection.
The tree is trying to touch me.
It used to be an afternoon.
Mother, mother,
I don't have to miss you any more.
Rover, Rover, Rex, Spot,
Here is the bone of my heart.

Mia madre non è morta

Mia madre in realtà non è morta.
E nemmeno la tua.
Sono così contento per te.
Pensavi tua madre fosse morta.
E ora non lo è.
E tuo padre?
Sta bene?
Non preoccuparti per i tuoi parenti.
Vedi gli insetti?
Uno di loro un tempo era il tuo cane.
Ma non cercare di accarezzare la formica
Sarà distrutta dalla goffaggine del tuo affetto.
L'albero cerca di toccarmi
Una volta era un pomeriggio.
Madre, madre,
Non devo più sentire la tua mancanza.
Rudy, Rudy, Pluto, Fido,
Ecco qui l'osso del mio cuore.

Never Mind

The war was lost
The treaty signed
I was not caught
I crossed the line

I had to leave
My life behind
I had a name
But never mind

Your victory
Was so complete
That some among you
Thought to keep

A record of
Our little truth
The cloth we wove
The tools we used

The games of luck
Our soldiers played
The stones we cut
The songs we made

Our law of peace
Which understands
A husband leads
A wife commands

And all of this
Expressions of
The Sweet Indifference
Some call Love

Che importa

La guerra è stata persa
Il trattato firmato
Non sono stato catturato
Ho attraversato il confine

Ho dovuto lasciarmi
Dietro la vita
Avevo un nome
Ma che importa

La tua vittoria è stata
Così completa
Che alcuni fra voi
Hanno pensato di tener

Nota della
Nostra piccola verità
Della tela che abbiamo tessuto
Degli arnesi che abbiamo usato

I giochi d'azzardo
Che i nostri soldati hanno giocato
Le pietre che abbiamo intagliato
Le canzoni che abbiamo composto

La nostra legge di pace
Che capisce che
Il marito guida
La moglie comanda

E tutto ciò è
Espressione della
Dolce Indifferenza
Che alcuni chiamano Amore

The Sweet Indifference
Some call Fate
But we had Names
More intimate

Names so deep
and Names so true
They're lost to me
And dead to you

There is no need
That this survive
There's truth that lives
And truth that dies

There's truth that lives
And truth that dies
I don't know which
So never mind

I could not kill
The way you kill
I could not hate
I tried I failed

No man can see
The vast design
Or who will be
Last of his kind

The story's told
With facts and lies
You own the world
So never mind

La Dolce Indifferenza
Che alcuni chiamano Destino
Ma noi avevamo Nomi
Più intimi

Nomi così profondi
e nomi così veri
Che sono perduti per me
E morti per te

Non c'è bisogno
Che tutto ciò sopravviva
C'è la verità che vive
E la verità che muore

C'è la verità che vive
E la verità che muore
Non so quale delle due
E quindi che importa

Non potevo uccidere
Come uccidevi tu
Non potevo odiare
Ho provato ho fallito

Nessuno può capire
Il vasto disegno
O chi sarà
L'ultimo della specie

La storia viene raccontata
Con fatti e menzogne
Tu possiedi il mondo
E quindi che importa

Titles

I had the title Poet
and maybe I was one
for a while
Also the title Singer
was kindly accorded me
even though
I could barely carry a tune
For many years
I was known as a Monk
I shaved my head and wore robes
and got up very early
I hated everyone
but I acted generously
and no one found me out
My reputation
as a Ladies' Man was a joke
It caused me to laugh bitterly
through the ten thousand nights
I spent alone
From a third-storey window
above the Parc du Portugal
I've watched the snow
come down all day
As usual
there's no one here
There never is
Mercifully
the inner conversation
is cancelled
by the white noise of winter
"I am neither the mind,
The intellect,
 nor the silent voice within..."
is also cancelled

Titoli

Mi chiamavano Poeta
E forse lo sono stato
Per un po'
Mi chiamavano anche gentilmente
cantante, anche se
a malapena riuscivo a tenere una nota
Per molti anni
mi conoscevano come monaco
mi radevo la testa e portavo la tonaca
e mi alzavo molto presto
odiavo tutti
ma mi comportavo con generosità
e nessuno mi ha scoperto
La mia reputazione
di dongiovanni era un'illusione
mi ha fatto ridere amaramente
durante le diecimila notti
trascorse da solo
Da una finestra del terzo piano
affacciata sul Parc du Portugal
ho guardato la neve
scendere tutto il giorno
come al solito
non c'è nessuno qui
Non c'è mai
Grazie al cielo
la conversazione interiore
è cancellata
dal rumore bianco dell'inverno
"Non sono né la mente,
l'intelletto,
né la voce silenziosa dentro..."
anche questo è cancellato

and now Gentle Reader
in what name
in whose name
do you come
to idle with me
in these luxurious
and dwindling realms
of Aimless Privacy?

e ora Gentile Lettore
in quale nome
in nome di chi
vieni a passare il tempo con me
in questi fastosi
regni calanti
di solitudine senza scopo?

The Darkness Enters

The darkness enters my hotel room
like a curtain coming through a curtain
billowing into different shapes of darkness
wings here a gas mask there,
simple things and double things
I sit upright on the edge of the bed
and I impede the filling darkness
with my many personalities
just as a high spiked fence
with the tips painted gold
interferes with the French rain
For a number of luminous hours
it is a standoff
Often during this highly charged segment
of my usually monotonous life
a woman enters the room with a pass-key
and in small ways manages to communicate
that we might have lived our lives together
had circumstances been otherwise
I like it especially
when she addresses me in the familiar form
of her incomprehensible language
but always in the back of my mind
I know the important moments
are on their way
and I am that high iron fence
with the spikes painted gold
holding off the inevitable

Entra l'oscurità

Entra l'oscurità nella mia stanza d'albergo
come una tenda attraverso una tenda
gonfiandosi in forme diverse di oscurità
qui due ali, lì una maschera antigas,
cose singole e cose doppie
siedo eretto sul bordo del letto
ed impedisco all'oscurità di entrare
con le mie molteplici personalità
come le alte sbarre di un recinto
con le punte dipinte d'oro
interferiscono con la pioggia parigina
Per un certo numero di ore luminose
sono giunto ad un punto morto
Spesso durante questa fase molto intensa
della mia vita solitamente monotona
entra una donna con un passe-partout
e con piccoli cenni riesce a comunicare
che avremmo potuto vivere assieme
se le circostanze fossero state diverse
mi piace particolarmente il momento
in cui si rivolge a me con il tono familiare
della sua lingua incomprensibile
ma sempre in fondo alla mia mente
so che i momenti importanti sono imminenti
ed io sono quell'alto recinto di ferro
con le punte dipinte d'oro
che differisce l'inevitabile

Another Poet

Another poet will have to say
how much I love you
I'm too busy now with the Arabian Sea
and its perverse repetitions
of white and grey

I'm tired of telling you
and so are the trees
and so are the deck chairs

Yes, I have given up a lot of things
in the last few minutes
including the great honour
of saying I love you

I've become thin and beautiful again
I shaved off my grandfather's beard
I'm loose in the belt
and tight in the jowl

Crazy young beauties
still covered with the grime
of ashrams and shrines
examine their imagination
in an old man's room

Boys change their lives
In the wake of my gait
anxious to study
elusive realities
under my hypnotic indifference

The brain of the whale
crowns the edge of the water
like a lurid sunset

Un altro poeta

Un altro poeta dovrà dirti
quanto ti amo
sono troppo impegnato a guardare il Mar d'Arabia
e le sue perverse ripetizioni
di bianco e grigio

Sono stanco di dirtelo
e così gli alberi
e così le sedie a sdraio

Sì, ho rinunciato a molte cose
negli ultimi pochi istanti
incluso il grande onore
di dirti che ti amo

Sono diventato di nuovo snello e bello
mi sono tagliato la barba del nonno
ho la cintura larga
e la mascella ferma

Giovani belle e pazze
ancora coperte della polvere
dei monasteri e dei santuari
esplorano le loro fantasie
nella stanza di un vecchio

I ragazzi mutano la loro vita
sulla scia dei miei passi
ansiosi di studiare
realtà elusive
sotto la mia ipnotica indifferenza

Il cervello della balena
corona il ciglio dell'acqua
Come uno sgargiante tramonto

but all I ever see
is you or You
or you in You
or You in you

Confusing to everyone else
but to me
total employment

I introduce
the young to the young
They dance away in misery
while I conspire
with the Arabian Sea
to create
an ugly silence
which gets the ocean
off my back
and more important
lets another poet say
how much I love you

Ma tutto quel che vedo
sei tu o Tu
o tu in Te
o Tu in te

Confondendo ogni altro
fuorché me
occupazione totale

Presento
i giovani alle giovani
Vanno via ballando nell'infelicità
mentre cospiro
con il Mar d'Arabia
per creare
un torvo silenzio
che mi tolga l'oceano
dalle calcagna
e cosa più importante
lascia che un altro poeta
dica quanto ti amo

There for you

When it all went down
And the pain came through
I get it now
I was there for you

Don't ask me how
I know it's true
I get it now
I was there for you

I make my plans
Like I always do
But when I look back
I was there for you

I walk the streets
Like I used to do
And I freeze with fear
But I'm there for you

I see my life
In full review
It was never me
It was always you

You sent me here
You sent me there
Breaking things
I can't repair

Making objects
Out of thought
Making more
By thinking not

Lì per te

Quando tutto crollò
E subentrò il dolore
Lo capisco ora
Ero lì per te

Non chiedermi come
So che è vero
Lo capisco ora
Ero lì per te

Faccio i miei piani
Come sempre
Ma quando guardo indietro
Ero lì per te

Cammino per le strade
Come ero solito fare
E ho i brividi per la paura
Ma sono lì per te

Rivedo la mia vita
Dalla a alla z
Non ero mai io
Eri sempre tu

Mi hai mandato qui
Mi hai mandato lì
A spaccare cose che
Non so riparare

A creare oggetti
Con il pensiero
Facendone altri
Evitando di pensare

Eating food
And drinking wine
A body that
I thought was mine

Dressed as Arab
Dressed as Jew
O mask of iron
I was there for you

Moods of glory
Moods so foul
The world comes through
A bloody towel

And death is old
But it's always new
I freeze with fear
And I'm there for you

I see it clear
I always knew
It was never me
I was there for you

I was there for you
My darling one
And by Your law
It all was done

Don't ask me how
I know it's true
I get it now
I was there for you

Mangiando cibo
E bevendo vino
Un corpo che
Pensavo fosse mio

Vestito da arabo
Vestito da ebreo
Oh maschera di ferro
Ero lì per te

Umore di gloria
Umore sordido
Il mondo affiora da
un drappo insanguinato

E la morte è vecchia
Ma è sempre nuova
Ho i brividi per la paura
E sono qui per te

Lo vedo chiaramente
L'ho sempre saputo
Non ero mai io
Ero lì per te

Ero lì per te
Mio tesoro
E secondo la Tua legge
Tutto è stato compiuto

Non chiedermi come
So che è vero
Lo capisco ora
Ero lì per te

The Letters

You never liked to get
The letters that I sent.
But now you've got the gist
Of what my letters meant.

You're reading them again,
The ones you didn't burn.
You press them to your lips,
My pages of concern.

I said there'd been a flood,
I said there's nothing left.
I hoped that you would come.
I gave you my address.

Your story was so long,
The plot was so intense.
It took you years to cross
the lines of self defense.

The wounded forms appear:
The loss, the full extent;
And simple kindness here,
The solitude of strength.

You walk into my room.
You seat there at my desk,
Begin your letter to
The one who's coming next.

Le lettere

Non ti è mai piaciuto ricevere
Le lettere che spedivo.
Ma ora hai capito l'essenza
Di ciò che le mie lettere volevano dire.

Le stai rileggendo,
Quelle che non hai bruciato.
Premi contro le tue labbra
Le mie pagine accorate.

Dicevo c'è stata un'alluvione,
Dicevo non è rimasto nulla.
Speravo tu venissi.
Ti ho dato il mio indirizzo.

La tua storia era così lunga,
La trama era così intensa,
Ti ci sono voluti anni per attraversare
i confini dell'auto-difesa.

Affiorano le parti ferite:
La perdita, l'intera portata;
E la semplice gentilezza, qui
La solitudine della forza.

Tu entri nella mia stanza.
Ti siedi alla mia scrivania,
Comincia pure la tua lettera per
Chi verrà dopo di me.

The Sun

I've been to the sun
It's nothing special
A place of violence
Much like our own

The sun said
I am an open book
Be patient

You will find
That everything happens
The same way
Here and there

The solar winds
Are something else
No one masters them
No one really
Navigates them

You survive them
Or you are never
Heard from again

I love the way
The sun speaks
It is so calm and honest
Except when seized
By its own misfortunes

Il Sole

Sono stato sul sole
Non è niente di speciale
Un luogo di violenza
Molto simile al nostro

Il sole disse
Sono un libro aperto
Sii paziente

Scoprirai
Che tutto avviene
Allo stesso modo
Qui e là

I venti solari
Son tutt'altra cosa
Nessuno li doma
Nessuno li guida

O sopravvivi
O nessuno saprà
Dove sei sparito

Amo il modo
In cui il sole si esprime
È così calmo e onesto
Salvo quando è in preda
Alle proprie sventure

Go Little Book

Go little book
And hide
And be ashamed
Of your irrelevance

A fluke
Has made you prominent
You were meant
To be discovered
Later

When there are no more
Floods and earthquakes
And holy wars

Go little book
And stop disgracing me
There are serious men
And women in my life
And you have given them
The upper hand

Hide behind
A window
O my dear lighthearted
And transparent
Book
Or crush yourself
Beneath a defeat

But hide
Hide quickly now
And let me hear from you
In our secret code
Which resembles

Va piccolo libro

Va piccolo libro
E nasconditi
E vergognati
Di essere irrilevante

Un caso
Ti ha reso importante
Eri destinato
Ad essere scoperto
Più tardi

Quando non vi saranno più
Inondazioni e terremoti
E guerre sante

Va piccolo libro
E smettila di disonorarmi
Ci sono donne e
Uomini seri nella mia vita
E tu hai dato loro un vantaggio

Nasconditi dietro
Ad una finestra
O mio piccolo libro
Spensierato e
Trasparente
O annullati
Dietro a una sconfitta

Ma nasconditi
Nasconditi presto ora
E fatti sentire
Nel nostro codice segreto
Che assomiglia

A bad cough

That dark rattle
Which ignores
The challenges of love
The crystals of perfection

O speak to me
From places
You will find

Go little book
Invite me there

A una brutta tosse

Quell'oscuro rantolio
Che ignora
le sfide dell'amore
I cristalli della perfezione

Oh parlami
Dai luoghi
Che troverai

Va piccolo libro
Invitami laggiù

Leonard Cohen was born in Montreal in 1934. His artistic career began while attending McGill University, where he formed a country-western trio called the Buckskin Boys and published his first book of poetry, *Let Us Compare Mythologies*. Following graduation, and after a brief stint at Columbia University in New York, Cohen travelled throughout Europe and settled on the Greek island of Hydra, where, during a seven-year sojourn, he wrote another collection of poetry, the controversial *Flowers for Hitler* (1964), and two highly acclaimed novels, *The Favourite Game* and *Beautiful Losers*. Back in North America, he settled near Nashville to pursue his musical career. He was championed by Judy Collins, who recorded one of his most famous songs, "Suzanne," on her 1966 album *In My Life*. In 1967, Cohen appeared at the Newport Folk Festival where he came to the attention of legendary Columbia A&R man John Hammond. By Christmas, Columbia had released his first album, *The Songs of Leonard Cohen*.

Over his long career as both poet and singer-songwriter, Cohen has gained an extraordinary measure of international fame. Following his 1993 world tour, he lived for several years at the Zen Centre on Mount Baldy in California. His latest book of poetry, *Book of Longing*, was published in 2006, and inspired a song cycle composed by Philip Glass, first performed in 2007. Cohen has received many honors and awards, including Canada's Governor General's Award and the Order of Canada. He has been inducted into the Canadian Music Hall of Fame and the Canadian Songwriters Hall of Fame. Cohen was inducted into the Rock and Roll Hall of Fame on March 10, 2008.

Branko Gorjup has taught Canadian literature in Canadian and Italian universities. His editorial work includes two anthologies of Canadian short fiction, *Silent Music* (in Croatian, Italian and Slovak) and *Other Lands* (in Italian); collections of stories by Leon Rooke, *Narcissus In the Mirror* (in Italian, Croatian and Slovak) and by Barry Callaghan, *Black Laughter* (in Croatian and Slovak). He guest-edited a special issue, *Oceano Canada*, for Mondadori's *Nuovi Argomenti*. His other editorial work has included *Mythologizing Canada: Northrop Frye's Essays on the Canadian Literary Imagination* (published in Canada and Italy), and *White Gloves of the Doorman: The Works of Leon Rooke*, which brings together a selection of essays, reviews, and interviews from an international rostrum of contributors, a new bibliography, and a DVD-documentary on the author. Forthcoming are *Margaret Atwood* by Guernica in its Canadian Writers Series, and *The Canadian Legacy: Essays on Northrop Frye's Canadian Literary Criticism and His Influence* by the University of Toronto Press.

Arnaldo Pomodoro was born in 1926 in Morciano, Romagna, Italy. In 1954 he moved to Milan, where he met Enrico Baj, Lucio Fontana and other artists. His work was first exhibited that year at the Galleria Montenapoleone in Milan. In 1955 his sculpture was shown for the first time at

the Galleria del Naviglio in Milan. Pomodoro participated in the São Paulo Biennial in 1963 and the Venice Biennale in 1964. The following year he was given the first of many solo exhibitions at the Marlborough galleries in New York and Rome. In 1967 Pomodoro was represented in the Italian Pavilion at *Expo '67* in Montreal, and received a prize at the Carnegie International in Pittsburgh. In 1968 he taught at the University of California at Berkeley, and later on at Mills College with Luciano Berio. In the following decades, Pomodoro's work circulated through the most important galleries around the world, and his outdoor sculptures are now standing in places like Darmstadt, New York, Copenhagen, Los Angeles, and Milan, among many others. Pomodoro lives and works in Milan.

Francesca Valente studied English and American literature at the University of Ca' Foscari, Venice, and Canadian Literature at the University of Toronto. Since 1980, she has directed various Italian Cultural Institutes in North America – San Francisco, Toronto, Vancouver, Chicago, and Los Angeles – and has worked at the Italian Ministry of Foreign Affairs, and UNESCO, Rome. She is the author of various publications and has translated works by numerous authors into Italian, including Margaret Atwood, Leonard Cohen, Northrop Frye, Irving Layton, Marshall McLuhan, Al Purdy, Frank Lloyd Wright, Leon Rooke, and Michael Ondaatje, and the work of numerous other authors from Italian into English, including Pier Paolo Pasolini, Giorgio Bassani, Patrizia Cavalli, and Enzo Cucchi. Valente was project director of two major multi-media cultural festivals, *Italy on Stage* (1987) and *Italy in Canada* (1990-91), and of the *Fountain of Italy* by Enzo Cucchi for York University, Toronto (1993). She is presently Italian Consul for Cultural Affairs and Director of the Italian Cultural Institute in Los Angeles as well as area coordinator for the United States and Canada.

Index
Indice

The Peter Paul Series of English Canadian Poetry

Luce ostinata/Tenacious Light: Selected Poems of Dionne Brand. (Bilingual Italian/English Edition). Watercolours by Achille Perilli. Edited by Branko Gorjup and Francesca Valente. Translation: Marco Fazzini, Sara Fruner and Francesca Valente, 2007

Dimora del cuore/Heart Residence: Selected Poems of Dennis Lee. (Bilingual Italian/English Edition). Drawings and watercolours by Nunzio. Edited by Branko Gorjup and Francesca Valente. Translation: Laura Forconi, Caterina Ricciardi and Francesca Valente, 2005

Il cuore che vede/The Optic Heart: Selected Poems of Margaret Avison. (Bilingual Italian/English Edition). Watercolours by Ubaldo Bartolini. Edited by Branko Gorjup and Francesca Valente.Translation: Brunella Antomarini, Francesca Inghilleri and Francesca Valente, 2003

Notte senza scale/A Night without a Staircase: Selected Poems of Michael Ondaatje. (Bilingual Italian/English Edition). Drawings and watercolours by Vettor Pisani. Edited by Branko Gorjup and Francesca Valente. Translation: Anna Maria Chiavatti and Francesca Valente, 2001

Giochi di specchi/Tricks with Mirrors: Selected Poems of Margaret Atwood. (Bilingual Italian/English edition) Watercolours by Luigi Ontani. Edited by Branko Gorjup and Francesca Valente. Translation: Laura Forconi, Caterina Ricciardi and Francesca Valente, 2000

Pronuncia i nomi/Say the Names: Selected Poems of Al Purdy. (Bilingual Italian/English edition). Watercolours by Giuseppe Zigaina. Edited by Branko Gorjup. Translation: Laura Forconi, Caterina Ricciardi and Francesca Valente, 1999

Rosa dei venti/Compass Rose: Selected Poems of P.K. Page. (Bilingual Italian/English edition). Watercolours and Drawings by Mimmo Paladino. Edited by Branko Gorjup.Translation: Francesca Valente, 1998.

Il geroglifico finale/The Last Hieroglyph: Selected Poems by Gwendolyn MacEwen. (Bilingual Italian/English edition). Watercolours by Sandro Chia. Edited by Branko Gorjup.Translation: Francesca Valente, 1997

Il cacciatore sconcertato/The Baffled Hunter: Selected Poems by Irving Layton. (Bilingual Italian/English edition). Drawings by Enzo Cucchi. Edited by Branko Gorjup. Translation: Francesca Valente, 1993

Finito di stampare
nel mese di marzo 2008
per A. Longo Editore in Ravenna
da Tipografia Moderna